# *Jamie*
# REVOLUÇÃO NA COZINHA

Também de Jamie Oliver, já publicados
no Brasil pela Editora Globo

Jamie Oliver – O chef sem mistérios
O retorno do chef sem mistérios
A Itália de Jamie
Jamie em casa

*Jamie*
# REVOLUÇÃO NA COZINHA

## QUALQUER PESSOA PODE APRENDER A COZINHAR EM 24 HORAS

## JAMIE OLIVER

**Fotografia**
**David Loftus e Chris Terry**

Para **MARGUERITE PATTEN**, uma das garotas do Ministério da Comida original e, desde aqueles dias, um tesouro nacional e incrível guru da culinária.

Muito amor, Jamie

**EDITORA GLOBO**

Título original da obra: Jamie's Ministry of Food

Copyright © Jamie Oliver, 2008
Copyright © da tradução 2009 by Editora Globo S.A.

Copyright das fotos © David Loftus, 2008
Foto da capa © Chris Terry, 2008

Publicado primeiramente no Reino Unido pela Penguin Books Ltd, 2008

Fotos copyright © David Loftus and Chris Terry, 2008
Endpapers © Steve Taylor/Digital Vision/Getty Images. Pág. 5 © Topfoto. Pág. 22 © Zoe Barker/Millennium Images, UK. Pág. 40 ©
plainpicture/Paolo. Pág. 58 © Peter Adams/Corbis. Pág. 72: wallpaper © Zoran Milich/Masterfile; Vishnu © ArkReligion.com. Pág.
100 © Trine Thorsen/Red Cover/Getty Images. Pág. 126: wallpaper and lamp © Sally Ashton/Millennium Images, UK; Ministry of
Food image © Fred Morley/Hulton Archive/Getty Images. Pág. 142 © Joe Tree/Alamy. Pág. 178 © plainpicture/Rueggeberg, T. Pág.
190 © plainpicture/Raupach. Pág. 212 © Freitag/zefa/Corbis. Pág. 228 © Newmann/zefa/Corbis. Pág. 278: wallpaper © Gregor
Schuster/Photographer's Choice/Getty Images; fish image © Raul Belinchon/Gallery Stock. Pág. 296 © Daniel Allan/Photographer's
Choice/Getty Images. Pág. 322 © PhotoAlto/Laurence Mouton/Getty Images

Tradução: Leonardo Antunes
Edição: Esníder Pizzo
Revisão Irene Incaó
Editoração eletrônica: epizzo

Texto fixado conforme as regras do novo Acordo Ortográfico da Língua Portuguesa (Decreto Legislativo n°. 54, de 1995).

1ª edição, 2009

CIP-BRASIL. CATALOGAÇÃO-NA-FONTE
SINDICATO NACIONAL DOS EDITORES DE LIVROS, RJ

O53r

Oliver, Jamie, 1975-
Revolução na cozinha : qualquer pessoa pode aprender a cozinhar em 24 horas / Jamie Oliver ;
fotografias David Loftus e Chris Terry ; [tradução Leonardo Antunes]. - São Paulo : Globo, 2009.
il.

Tradução de: Jamie's ministry of food
Inclui índice
ISBN 978-85-250-4695-6

1. Culinária. I. Título.

09-2221.                                            CDD: 641.5
                                                   CDU: 641.5
12.05.09   14.05.09                                012587

EDITORA GLOBO S.A.
Av. Jaguaré, 1485 – São Paulo, SP, Brasil
05346-902
www.globolivros.com.br

# Conteúdo

# Introdução

Oi, pessoal, gostaria de pedir um favor a vocês: preciso da ajuda de todos para um movimento alimentar que comecei. À primeira vista, são apenas amigos que ensinam outros amigos a cozinhar bons pratos econômicos e a ter mais habilidade na cozinha. Mas, por trás disso, é o início de um movimento divertido e importante que pode mudar a saúde e o futuro do país (a Inglaterra). Permita-me explicar um pouco mais sobre o Ministério da Comida (*Ministery of Food*, título original do livro – N. do T.) e sobre este movimento chamado **passe adiante**.

## Então, o que é esse Ministério da Comida?

Durante e após a Primeira Guerra Mundial, uma terrível escassez de alimentos fez com que muitas pessoas ficassem malnutridas. Assim, quando estourou a Segunda Guerra Mundial, o governo sabia que deveria tomar uma medida capaz de impedir que isso acontecesse de novo. E o que eles fizeram foi criar um Ministério da Comida, basicamente por duas razões: garantir alimento suficiente para todos e educar as pessoas sobre alimentação e nutrição adequada para que se mantivessem saudáveis. O que acho muito inspirador é que, na ocasião, o governo não fez apenas um discurso, mas tomou uma atitude e criou algo radical... e eu gosto de radicalismos! O Ministério da Comida queria chegar às pessoas, onde quer que elas estivessem – escritórios, fábricas, clubes esportivos ou áreas comerciais. E, para realizar isso, trataram de mobilizar milhares de mulheres que *sabiam* cozinhar e depois as enviaram por todo o país para dar apoio e dicas à população. Assim, as pessoas aprenderam como usar apropriadamente seus racionamentos de comida para se alimentar e viver melhor.

Os historiadores dizem que o Ministério da Comida original foi uma graça trazida pela guerra.

É uma vergonha que seja necessário uma guerra sangrenta para que se preste atenção à saúde, mas agora também temos uma guerra, desta vez contra a falta de saúde e a obesidade causadas pela alimentação inadequada. A questão é: esperaremos até que seja tarde demais ou faremos algo já? Eu digo que faremos algo agora. Independentemente dos períodos de recessão e de lucro, cada um de nós precisa saber como cozinhar sozinho de modo simples, nutritivo, econômico e saboroso. E, depois que aprendermos, devemos **passar adiante** para os amigos, a família e os colegas de trabalho, a fim de manter vivo esse ciclo de conhecimento.

## Qual é o plano?

É preciso que você se envolva no *passe adiante* e se comprometa a aprender apenas uma receita de cada capítulo deste livro. Primeiro, torne-se um mestre nessa receita em sua própria casa, depois *passe adiante* para pelo menos duas pessoas (de preferência quatro). Transforme isso em algo divertido, criando uma espécie de festa culinária para ensinar aos seus amigos, parentes e convidados algumas novas habilidades no conforto de sua própria casa. Depois, o mais importante é fazer seus convidados se comprometerem a *passar adiante* as receitas para mais pessoas, que passarão a outras e assim por diante. É fácil.

E não pense, nem por um minuto, que a sua contribuição não fará diferença. Deixe-me compartilhar um pouco do meu sonho romântico com você... Digamos que, por exemplo, você ensine como preparar uma receita a quatro pessoas e que, depois, cada uma delas a ensine a mais quatro pessoas que, por

sua vez, ensinarão a mais quatro pessoas... O ciclo precisa se repetir somente oito vezes para que nós estejamos a caminho de encher o Estádio de Wembley. Repita isso treze vezes e nós teremos mais que a população inteira da Inglaterra cozinhando – aspirações muito altas, eu admito, mas por que não? Tenho certeza de que milhares de pessoas se envolverão com isso. Imagine a onda de aprendizado divertido que se estenderá pelo país! É incrível pensarmos sobre todos os benefícios que esse movimento pode trazer para a saúde e para a sociedade. Tenho certeza de que se mostrarmos ao governo que realmente nos importamos, então muitas outras coisas começarão a entrar nos eixos.

O movimento *passe adiante* é essencialmente uma versão atual do modo como as pessoas costumavam transmitir suas receitas através de gerações, quando nem todos se preocupavam somente em trabalhar. Essa dinâmica é o melhor jeito de ensinar e aprender. Simples como parece, o *passe adiante* pode ser o movimento alimentar mais radical desde a guerra e você pode fazer parte dele. Eu não estaria pedindo a sua ajuda se não achasse que ela é absolutamente necessária. E, escute, eu não estou aqui fazendo uma "campanha respeitável" apenas para receber algum reconhecimento. Acredite em mim, eu poderia estar viajando para diferentes países e aprendendo coisas novas, mas, neste momento, isto é a coisa mais importante para mim.

Ao longo do último ano, trabalhei em Rotherham, no norte da Inglaterra. Por que Rotherham? Bem, principalmente porque eu queria ir lá encontrar algumas das mulheres de Rawmarsh (vila ao norte de Rotherham – N. do T.), entre elas Julie Critchlow, que alcançaram fama em todo o mundo por passar hambúrgueres e batatas fritas através das grades do colégio local enquanto eu me envolvia com a mudança do cardápio das merendas escolares. Agora que Julie e eu nos conhecemos e ficamos amigos, ela afirma que não eram hambúrgueres: na maioria das vezes, eram sanduíches de atum com salada. Não me pergunte, eu não estava lá! Outro motivo para ir a Rotherham é porque dizem que lá é a cidade que melhor reflete o restante da população do país em termos de composição demográfica. Assim, imaginei que, se estabelecesse o meu próprio Ministério da Comida lá e fizesse com que ele funcionasse, depois isso poderia se repetir em qualquer outro lugar. Fiz demonstrações culinárias para a cidade e dei aulas para grupos em que pedia às pessoas que ensinassem as receitas aprendidas comigo a pelo menos outras duas. As frequentadoras das minhas aulas de culinária aparecem – muito satisfeitas – nas fotos em cada capítulo do livro (muito bonito, gente!).

Durante as aulas, pude presenciar a mais radical mudança emocional que já vi acontecer com as pessoas, simplesmente por estar mostrando a elas como cozinhar um punhado de pratos. Essa mudança tão fantástica pode literalmente ocorrer em 24 horas. Sei que a princípio isso parece uma coisa boba, mas é a verdade. E não estou falando de pessoas que achavam que seria bacana aprender algumas receitas. Estou falando de gente que nunca havia tido vontade de cozinhar, que passou anos sem se interessar por alimentos: mineradores, mães solteiras, idosos aposentados e pais ocupados... todos os tipos que você imaginar!

Quero que este Ministério da Comida o ajude, quer você seja um completo iniciante, um bom cozinheiro que goste de simplicidade, ou alguém que está comprando este livro para um amigo que só entra na cozinha à força. Também quero que este livro, ao lado de outras iniciativas que estou realizando para o Ministério da Comida, se torne o catalisador que capacitará milhões de pessoas a preparar sozinhas refeições caseiras econômicas e apropriadas. Escrevi as receitas deste livro de modo que qualquer pessoa possa segui-las facilmente. Também utilizei uma grande quantidade de fotos com as etapas do preparo, para que você fique confiante o suficiente para entender o básico, mesmo que seja o cozinheiro mais relutante do mundo.

## Por que precisamos *passar adiante*?

O fato é que estamos no meio de uma das piores epidemias relacionadas à alimentação que este país já viu. Posso assegurar que desta vez não é devido à falta de alimentos, mas ao fato de estarmos consumindo coisas erradas demais.

As merendas escolares foram negligenciadas por trinta anos, as aulas de culinária praticamente desapareceram das escolas, a educação física foi reduzida, e cada vez mais vamos de carro para o trabalho, onde executamos atividades de escritório. Além disso, eu li que atualmente a nossa pequena e amada Grã-Bretanha consome 50% das as refeições prontas de toda a Europa. É por causa de tudo isso que os britânicos apresentam os mais altos índices de obesidade na Europa. É chocante saber que esta será a primeira geração de crianças britânicas a viver menos que os seus pais: péssimo para um país do primeiro-mundo que sediará os Jogos Olímpicos em 2012.

O estado da saúde e da culinária britânicas é um assunto que me preocupa há muitos anos e penso em como fazer a minha parte. Por isso, este é apenas um pequeno discurso, a ponta do iceberg. Se você leu até aqui, espero que esteja sensibilizado com o que estou falando. Boa comida e boa alimentação não são coisas sofisticadas – qualquer pessoa pode comer boa comida com qualquer orçamento, desde que saiba como cozinhar. Portanto, gente, vamos participar do **passe adiante**.

*N. do T. – O autor se refere à questão da obesidade na Grã-Bretanha. No Brasil, a obesidade já é considerada um problema mais grave do que a desnutrição, porque esta tem diminuído, enquanto o número de obesos é crescente. Cerca de 40 milhões de brasileiros adultos estão acima do peso e, destes, pelo menos 10 milhões são considerados obesos, de acordo com pesquisa do Instituto Brasileiro de Geografia e Estatística (IBGE). Entre as crianças e adolescentes a situação é também alarmante. Segundo dados da Sociedade Brasileira de Pediatria, há pelo menos 5 milhões de crianças obesas. Entre os adolescentes (10 a 17 anos), cerca de 17% estão acima do peso.*

## A promessa do passe adiante

Por favor, assine uma versão deste compromisso online e faça parte de um movimento global para ajudar a fazer a diferença. Meu website, www.jamieoliver.com, também fornecerá muitas informações extras: fotos, vídeos e dicas para complementar este belo livro. Se precisar de um pouco mais de ajuda enquanto estiver aprendendo, o website terá vídeos em que eu preparo várias destas receitas e eles poderão ser baixados gratuitamente. Haverá toda uma comunidade de pessoas do mundo todo no site que também estará aprendendo a cozinhar, e compartilhará suas histórias. Portanto, aproveite este livro, divirta-se aprendendo as receitas, e *passe adiante*!

**Este livro pertence a ....................................**
**Prometo aprender uma receita de cada capítulo deste livro.**

**Depois a ensinarei pessoalmente a dois ou mais amigos ou parentes, sob a condição de que eles se comprometam a fazer o mesmo.**

**Data ...................................**

**Assinatura ...................................**

# Utensílios essenciais

## Equipamento de cozinha

Hoje, mais do que nunca, é possível comprar equipamentos de cozinha baratos. Isso é ótimo, porque significa que as pessoas podem ter as peças essenciais de que precisam. Uma coisa de que não me havia dado conta até agora é do tamanho do problema que pode causar um equipamento ruim ou mal dimensionado. Acho que isso é responsável por pelo menos um terço das causas para a culinária neste país estar do jeito que está.

Apresento aqui uma lista com os itens essenciais para torná-lo um cozinheiro eficiente e bem-equipado. É bom saber que vale a pena economizar ou pegar dinheiro emprestado para comprar o que encontrar de melhor em facas, processadores de alimentos e tábuas de madeira para picar. Você ficará mais bem servido com três facas de boa qualidade – uma de picar, com 30 cm, uma serrilhada de trinchar, também com 30 cm, e outra, de 15 cm, para aparar – do que com um jogo inteiro de facas ruins, que duram menos e tornam o trabalho difícil. Ao comprar uma faca, certifique-se de que ela tem um bom peso, uma lâmina rígida que não se curva e um cabo que se ajusta bem à sua mão.

Quando compro frigideiras, sempre procuro as antiaderentes de melhor qualidade. Quanto às panelas, acho as de fundo sólido e grosso o que há de melhor. Com as outras coisas da lista, você pode gastar mais ou menos dinheiro, como preferir.

## Kit essencial

Frigideira antiaderente extralarga
Frigideira de grelhar larga
Caçarola extralarga (de
    ferro fundido, alumínio
    ou aço inoxidável)
Conjunto de panelas de fundo
    grosso (larga, média e pequena)
Boas formas sólidas para assar
Wok
Conjunto de tigelas para misturar
Pinças grandes de metal
Facas (faca de cozinheiro,
    faca serrilhada de trinchar,
    faca de aparar)

Colheres de pau
Batedeira de ovos manual de metal
Espremedor de batatas
Concha para sopa
Espátula para fatiar peixe
Espátula de plástico
Descascador de vegetais
Tábua grossa e sólida de
    madeira para picar
Tábua pequena de
    plástico para picar
Almofariz (pilão)
Secador de verduras
Balança

Peneiras (uma grossa e uma fina)
Escorredor de macarrão grande
Jarro grande de medidas
Ralador em prancha ou em caixa
Processador de alimentos
Rolo de macarrão
Abridor de latas

# Para o armário da cozinha

Assim que for mordido pelo bichinho da culinária, você vai querer se tornar o melhor cozinheiro que puder, o mais depressa possível, e comer os pratos mais saborosos que conseguir fazer.

Para isso, precisará do equipamento correto, de bastante prática e de armários de cozinha repletos de bons ingredientes básicos. Todos os ingredientes não perecíveis que ficam no armário, esperando você chegar em casa para cozinhá-los, são muito importantes para fazer uma comida saborosa.

Se você comprar um bom pedaço de bacalhau, de carne de boi ou de frango, poderá prepará-lo à moda da Espanha, da Itália, do Marrocos ou da China, utilizando apenas certas ervas e especiarias do armário de sua cozinha. Isso é o que é mais excitante na arte de cozinhar.

É bom lembrar que não há nada de inferior em tomates em conserva, atum em lata ou frutas e vegetais congelados. Colhidas em seu melhor momento, as ervilhas congeladas são conservadas assim até a hora de serem utilizadas. A menos que você as colha de sua horta, terá de se esforçar muito para conseguir uma ervilha mais saborosa e mais nutritiva que a congelada.

Então, use a lista a seguir. Saia e compre tudo que está nela. Não custará os olhos da cara e nada estragará. Os ingredientes básicos que lhe permitirão fazer coisas mais criativas ficarão perfeitamente acomodados no armário ou no *freezer* por meses. A questão é ter o suficiente em suas prateleiras para que não lhe falte nada em caso de algum contratempo... Portanto, estoque!

## Ingredientes essenciais do armário da cozinha
Mostarda Dijon
Mostarda de grão integral
Mostarda inglesa
Óleo de oliva extravirgem
Óleo de oliva
Óleo de girassol
Óleo de gergelim
Óleo de amendoim
Vinagre de vinho tinto
Vinagre de vinho branco
Vinagre balsâmico
Farinha de trigo sem fermento
Farinha de trigo com fermento
Farinha de trigo forte
Farinha de trigo integral

Fermento em pó (químico)
Fermento biológico
Açúcar branco refinado
Açúcar mascavo
Açúcar de confeiteiro
Cacau em pó
Massa seca
Macarrão tipo *noodles*
Grão-de-bico em conserva
Feijão *cannellini* (feijão-branco) em conserva
Feijão roxo em conserva
Tomates em conserva
Atum em lata
Leite de coco
Azeitonas (com caroço)
Anchovas
Arroz basmati
Arroz integral
Aveia

Mel
Amêndoas/avelãs ou nozes diversas
Sementes diversas
*Cream crackers*
Cubos de caldo orgânico de vegetais, carne e galinha
*Pesto* em conserva
Pasta de *curry*
Molho de soja (*shoyu*)
*Ketchup*
Molho de pimenta
Maionese

## Especiarias básicas
Sal marinho
Sal refinado
Pimenta-do-reino
Pimenta vermelha seca
Noz-moscada
Canela em pó

Orégano em pó
Folhas de louro
Sementes de erva-doce
Sementes de coentro
Sementes de cominho
Pimenta vermelha em pó
Cinco-especiarias
*Garam masala*
*Curry* em pó
Páprica defumada

## Coisas congeladas básicas
Ervilhas
Favas
Vagens
Espiga e grãos de milho
Frutas
Camarões
Massa podre
Massa filo
Massa folhada

# Refeições de vinte minutos

Com tantas pessoas dizendo-se muito ocupadas e sem tempo para cozinhar, não chega a ser surpreendente que a maioria dos livros atuais tragam um capítulo sobre refeições rápidas. Por isso, aqui está o meu. Para ser franco, muitas das outras receitas deste livro são bem rápidas também – dê uma olhada nos capítulos sobre massas, saladas ou nas receitas rápidas de carne e peixe. Mas o que procurei fazer com as receitas a seguir foi deixá-las realmente muito rápidas e absolutamente perfeitas para um lanche, um almoço ou um jantar para 1 ou 2 pessoas. É o tipo de coisa que eu geralmente preparo quando chego tarde em casa. Sempre me desafio para ver o quão rápido vão ficar prontas. Isso quase sempre provoca algumas batidas de porta de armário e de geladeira, mas a Jools parece não se importar, pois sabe que assim poderemos comer depois de uns 20 minutos de chegarmos em casa.

Principiantes devem ser capazes de preparar esses pratos em 20 minutos. Depois do título de cada receita, informo o tempo de preparo médio para um iniciante. Mas você ficará mais ágil com a prática.

Em todos os tipos de culinária existem receitas que podemos transformar para que sejam preparadas em pouco tempo. Por exemplo, para ter rapidamente uma refeição fresca e saborosa na mesa, vale a pena tirar partido de ingredientes práticos como saladas e ervas embaladas, pão sírio, cortes de carne de cozimento rápido, como peito de frango ou filé de boi, e vegetais frescos e congelados.

Estas receitas certamente não são difíceis para cozinheiros iniciantes, já que não há nada muito técnico aqui. Mas, como elas devem ser feitas rapidamente, é bom que você seja bem organizado, pois terá de fazer a preparação de tudo ao mesmo tempo em que cozinha – enquanto a panela estiver aquecendo, será preciso picar ou finalizar algo, por exemplo.

# SANDUÍCHE DE FILÉ EM BORBOLETA (15 minutos)

Cortar um filé em "borboleta" significa cortá-lo ao meio horizontalmente, de modo a abri-lo como um livro. É muito simples – veja as fotos ao lado.

**para 2 pessoas**

2 cogumelos grandes
2 filés (200 g cada) de carne de boi
um ramo de alecrim fresco
sal marinho e pimenta-do-reino moída na hora
óleo de oliva

1 pão ciabatta
óleo de oliva extravirgem
suco de ½ limão-siciliano
um punhado pequeno de agrião
mostarda Dijon

Coloque uma frigideira de grelhar na temperatura mais alta • Limpe os cogumelos a seco, com um pano ou papel, depois corte uma fatia do fundo deles para melhor acomodá-los na grelha • Enquanto a frigideira estiver esquentando, disponha os cogumelos sobre ela e pressione-os para baixo • Vire-os quando estiverem grelhados – isso liberará a intensidade de seu sabor • Dê batidinhas com papel-toalha para secar os filés • Para cortá-los em borboleta, fatie-os horizontalmente com cuidado, executando movimentos lentos e longos, e abra-os como se fosse um livro • Arranque as folhas de alecrim dos talos e pique-as finamente • Polvilhe o alecrim e uma boa pitada de sal e pimenta-do-reino sobre uma tábua de picar e acomode seus filés abertos por cima, pressionando-os para baixo para que os temperos grudem na carne • Regue-os levemente com óleo de oliva, depois vire-os e faça o mesmo do outro lado

Retire os cogumelos cozidos da grelha e coloque-os em um prato • Leve a frigideira de volta ao fogo e acomode os filés sobre ela, pressionando-os para baixo • Cozinhe cada filé por cerca de 4 minutos, virando-os a cada minuto • Quando estiverem prontos, retire-os da frigideira e deixe-os descansar em um prato • Corte o *ciabatta* ao meio diagonalmente e coloque-o sobre a frigideira com um peso por cima, para deixar o pão com marcas de grelha • Toste cada lado por 1 ou 2 minutos • Regue levemente os filés e os cogumelos com óleo de oliva extravirgem • Esprema um pouco de suco de limão por cima e polvilhe com uma pitada de sal e pimenta-do-reino • Cubra cada pedaço de *ciabatta* tostado com um filé, um pouco de agrião e um cogumelo, depois regue com um pouco do caldo da carne para que ele seja absorvido pelo pão. Regue com mais um pouco de óleo de oliva extravirgem e sirva com um pote de mostarda Dijon na mesa

# PEIXE MARROQUINO COZIDO COM CUSCUZ (18 minutos)

Você pode fazer esta receita com filés de salmão ou de qualquer tipo de peixe branco. É muito rápida de preparar e muito boa para dar às crianças no jantar. Gosto de utilizar uma mistura de vagens e ervilhas; mas, se você achar mais fácil usar apenas uma das duas, tudo bem. Ao comprar o peixe, não se esqueça de pedir ao peixeiro para limpá-lo, cortá-lo em filés e eliminar as espinhas – ou tente retirá-las você mesmo.

**para 2 pessoas**

150 g de cuscuz marroquino

óleo de oliva

2 limões-sicilianos

sal marinho e pimenta-do-reino moída na hora

2 dentes de alho

1 pimenta vermelha fresca

um punhado de manjericão fresco

1 colher (chá) de sementes de cominho

½ colher (chá) de canela em pó

2 filés de peixe branco (150 g cada),
    sem escamas e sem espinhas

200 g de camarões grandes descascados

1 lata (400 g) de tomates picados

2 punhados de favas, vagens ou ervilhas frescas
    ou congeladas (ou use uma mistura das três)

Coloque o cuscuz em uma tigela e adicione duas colheres de óleo de oliva • Corte os limões ao meio e esprema o suco de duas metades dentro da tigela • Acrescente uma pitada de sal e pimenta • Adicione água fervente suficiente para cobrir o cuscuz, depois cubra a vasilha com um prato ou filme plástico • Deixe o cuscuz absorver a água por 10 minutos

Ponha uma panela grande em fogo médio • Descasque o alho e fatie-o finamente • Fatie finamente a pimenta • Arranque as folhas de manjericão dos talos • Reserve as folhas menores e pique grosseiramente as maiores • Despeje dois fios de óleo de oliva na panela quente • Acrescente o alho, a pimenta vermelha, o manjericão, as sementes de cominho e a canela • Dê uma mexida em tudo e coloque os filés de peixe por cima. Espalhe os camarões por cima • Adicione os tomates em conserva, as ervilhas e as vagens • Acrescente o suco das duas metades restantes de limão • Tampe a panela • Deixe ferver, depois baixe o fogo e cozinhe em fogo baixo por cerca de 8 minutos ou até que o peixe esteja cozido por inteiro e se desmanche facilmente em flocos • Tempere com sal e pimenta-do-reino

Quando o peixe estiver cozido, o cuscuz já deverá ter absorvido toda a água e estar pronto para ser consumido • Coloque uma colherada de cuscuz em uma tigela de servir e dê uma mexida com um garfo para deixá-lo solto • Cubra com o peixe, os vegetais e os caldos da panela, polvilhe com as folhas de manjericão reservadas e mande ver!

# SALMÃO TIKKA RÁPIDO COM IOGURTE DE PEPINO (17 minutos)

Se você é fã de frango *tikka masala* (prato de inspiração indiana criado no Reino Unido; pedaços de frango marinados e cozidos numa mistura de alho e especiarias – N. do T.), experimente esta receita. Talvez ache estranho utilizar especiarias fortes no peixe, mas é muito comum no sul da Índia. Ao comprar o peixe, peça ao peixeiro para limpá-lo.

**para 2 pessoas**

2 pães naan

1 pimenta vermelha fresca

½ pepino

1 limão-siciliano

4 colheres (sopa) de iogurte natural

sal marinho e pimenta-do-reino moída na hora

alguns ramos de coentro fresco

2 filés de salmão (200 g cada um), com a pele, sem escamas e sem espinhas

1 colher (sopa) de pasta de curry tandoori

óleo de oliva

Preaqueça o forno a 110°C e coloque nele o pão *naan* para que aqueça por completo • Corte a pimenta vermelha ao meio, elimine as sementes e pique-a finamente • Descasque e corte o pepino ao comprido, depois use uma colher para raspar e descartar as sementes • Pique grosseiramente o pepino e coloque a maior parte dentro de uma tigela • Corte o limão ao meio e esprema o suco de uma das metades dentro da tigela • Adicione o iogurte, uma pitada de sal e pimenta-do-reino e metade da pimenta picada • Separe as folhas de coentro e reserve

Fatie cada filé de salmão ao comprido em três pedaços de 1,5 cm e use um pincel de massa ou as costas de uma colher para espalhar a *pasta tandoori* sobre o peixe • Aqueça uma frigideira grande em fogo alto, depois adicione um fio de óleo de oliva, coloque o salmão na frigideira e frite cada lado por cerca de 1½ minuto, até que fique completamente cozido

Acomode um pão *naan* quente em cada prato • Cubra com uma boa porção de iogurte de pepino e três pedaços de salmão • Espalhe por cima um pouco do pepino reservado, da pimenta vermelha e das folhas de coentro e finalize com uma espremida de suco de limão

# CAMARÕES E AVOCADO COM MOLHO ROSÉ À MODA ANTIGA

**(12 minutos)**

Cresci rodeado por coquetéis de camarão no bar dos meus pais, por isso o sabor desse prato me lembra a infância! É um simples pratinho bem retrô que pode virar um ótimo e leve jantar. Acrescentei dentes de alho com casca à frigideira porque dão um sabor maravilhoso aos camarões.

**para 2 pessoas**

*1 ou 2 avocados maduros*
*1 ou 2 maços de agrião (folhas pequenas)*
*farinha sem fermento*
*220 g de camarões-rosa, descascados*
  *e prontos para serem comidos*
*óleo de oliva*
*2 dentes de alho*
*1 colher (chá) de páprica*
*óleo de oliva extravirgem*

Para o molho Marie Rose

*4 colheres (sopa) de maionese*
*1 colher (sobremesa) de ketchup*
*1 colher (chá) de molho*
  *Worcestershire (molho inglês)*
*1 colher (chá) de whisky*
*1 limão-siciliano*
*sal marinho e pimenta-do-reino moída na hora*

Corte o avocado ao meio, remova cuidadosamente o caroço e descarte-o • Separe as duas metades • Retire a casca do avocado e descarte-a também • Corte o agrião • Coloque um ou dois punhados de farinha em uma tigela • Mergulhe os camarões na farinha e misture até que eles fiquem completamente cobertos • Para preparar o molho, ponha a maionese em uma vasilha com o *ketchup*, uma pequena borrifada de molho inglês e o *whisky* • Corte o limão ao meio e esprema o suco de uma das metades • Corte a metade restante em cunhas para servir • Adicione uma pitada de sal e pimenta-do-reino e misture bem • Prove e acrescente mais um toque de sal, pimenta-do-reino e suco de limão se achar necessário

Coloque uma frigideira grande em fogo alto • Quando ela estiver quente, despeje 2 fios generosos de óleo de oliva • Esmague e quebre os dentes de alho com as mãos e acrescente-os à frigideira, imediatamente seguidos dos camarões enfarinhados • Faça com que os camarões fiquem cobertos pelo óleo quente • Conte até dez e adicione uma pitada de sal e pimenta-do-reino e a páprica para dar sabor e cor • Continue mexendo os camarões, tentando mantê-los em uma única camada na frigideira por cerca de 3 a 4 minutos, ou até que fiquem dourados e crocantes

Coloque uma metade de avocado em cada prato • Distribua o agrião sobre cada metade de avocado e acomode os camarões ao lado delas • Regue o avocado com algumas boas colheradas de molho Marie Rose • Finalize com um fio de óleo de oliva extravirgem e uma polvilhada de páprica • Sirva com as cunhas de limão para espremer por cima • Fantástico!

## DEBBIE DENNIS
CABELEIREIRA

Eu me sentia muito culpada toda vez que esquentava algum prato congelado para os meus filhos, porque sabia que eles não estavam recebendo o melhor em sua alimentação. Agora tenho algumas receitas que passaram para mim. Estou me esforçando... os pratos congelados se foram e tudo que estou aprendendo é delicioso. Antes, quando eu preparava algo, ninguém dizia 'Ah, isto está ótimo'. Era só 'obrigado por ter cozinhado...'. Agora, eles falam 'uau'! Nem eu consigo acreditar que é tão saboroso.

# ESTROGONOFE DE FRANGO E ALHO-PORÓ (19 minutos)

Este é um cruzamento saboroso entre um *fricassé* francês e um estrogonofe russo. Enquanto você cozinha um pouco de arroz, poderá preparar rapidamente este prato em outra panela e, quando o arroz estiver cozido, tudo estará pronto. Gosto de acrescentar os cogumelos quase no final do preparo do molho, assim eles ficam firmes, mas se preferir adicioná-los antes com o alho-poró, para deixá-los mais macios, tudo bem.

**para 2 pessoas**

*sal marinho e pimenta-do-reino moída na hora*
*150 g de arroz basmati ou de grão longo*
*1 alho-poró grande*
*um punhado grande de cogumelos dos tipos*
 *castanha (chapéu marrom) ou ostra*
*2 peitos de frango, de preferência*
 *orgânicos ou caipira*

*óleo de oliva*
*uma bolota de manteiga*
*1 taça de vinho branco*
*um punhado de salsa fresca*
*285 ml de creme de leite desnatado*
*1 limão-siciliano*

Despeje água fervente em uma panela larga, coloque-a sobre fogo alto e adicione uma pitada de sal • Acrescente o arroz, deixe ferver de novo e, em seguida, baixe ligeiramente o fogo • Enquanto o arroz cozinha, apare as duas extremidades do alho-poró, corte-o ao comprido em quatro pedaços, fatie finamente em diagonal, depois lave-o bem em água corrente • Fatie os cogumelos • Fatie os peitos de frango em pedaços do tamanho de um dedo

Coloque uma frigideira grande sobre fogo alto e adicione um fio generoso de óleo de oliva e a bolota de manteiga • Acrescente o alho-poró à frigideira com o vinho branco, uma taça pequena de água e uma boa pitada de sal e pimenta-do-reino. • Deixe borbulhar por 5 minutos, coberto frouxamente por um pedaço de papel-alumínio • Enquanto isso, pique finamente a salsa, os talos e tudo mais • Remova o papel-alumínio e adicione as tiras de frango, a maior parte da salsa, o creme e os cogumelos • Misture, deixe ferver de novo, depois baixe para fogo médio e cozinhe por 10 minutos • Escorra o seu arroz • Um pouco antes de servir, corte o seu limão ao meio e esprema o suco de uma metade dentro do estrogonofe • Tempere a gosto

Ponha uma colherada de arroz sobre cada prato e cubra com o estrogonofe • Polvilhe com o restante da salsa picada • Sirva com a outra metade de limão cortada em cunhas

# CALDO ASIÁTICO DE FRANGO E NOODLES (17 minutos)

Este é um prato realmente rápido, mas você precisará se desdobrar, cozinhando os vegetais e os *noodles* em uma panela e o frango em outra. Leia toda a receita antes de começar, assim estará preparado para cada passo dela. Você ficará impressionado com os resultados.

**para 2 pessoas**

1 colher (sopa) de sementes misturadas (abóbora, papoula, girassol)

um punhado pequeno de castanhas-de-caju

2 peitos de frango sem pele, de preferência orgânicos ou caipiras

2 colheres (chá) de cinco-especiarias em pó (uma mistura chinesa de grãos de pimenta-de-sichuan, anis-estrelado, cravo-da-índia, grãos de erva-doce e canela — N. do T.)

sal marinho e pimenta-do-reino moída na hora

óleo de oliva

um pedaço de raiz fresca de gengibre do tamanho de um dedo

½–1 pimenta vermelha fresca, a gosto

1 cubo de caldo de frango, de preferência orgânico

100 g de noodles de arroz

um punhado de ervilha-torta

6 talos finos de aspargo ou 4 talos de tamanho normal

6 espigas de milhos baby

molho de soja (shoyu)

suco de 1 limão taiti

um punhado pequeno de folhas de espinafre

Ponha uma chaleira para ferver • Coloque uma frigideira média em fogo alto e adicione imediatamente as sementes e as castanhas-de-caju • Coloque uma panela grande em fogo alto, despeje nela um litro de água fervente e tampe • Misture as sementes e as castanhas até que fiquem completamente aquecidas — levará uns 2 minutos • Enquanto isso, corte os peitos de frango em 3 pedaços ao comprido e coloque-os em uma vasilha • Polvilhe o frango com as cinco-especiarias, uma boa pitada de sal e pimenta-do-reino e misture • Quando as sementes e castanhas estiverem prontas, transfira-as para um prato • Leve a frigideira de volta ao fogo alto, despeje nela um pouco de óleo de oliva junto com as fatias de frango e frite por 5 minutos, mexendo de vez em quando, até que fiquem douradas

Enquanto o frango estiver cozinhando, descasque e fatie finamente o gengibre • Fatie a pimenta • Esmigalhe o cubo de caldo dentro da panela com água fervente • Acrescente metade da pimenta, todo o gengibre, os *noodles*, a ervilha-torta, os aspargos e o milho, com 2 colheres de sopa de molho de soja • Deixe ferver e cozinhe por 2 a 3 minutos, mexendo sempre • Corte o limão ao meio e esprema o suco na panela • Quando os *noodles* e os vegetais estiverem prontos, o frango estará cozido • Retire um pedaço de frango e fatie-o ao comprido para checar se está completamente cozido — quando estiver pronto, retire todo o frango da frigideira e fatie cada pedaço ao meio para expor a carne suculenta do interior • Para servir, divida as folhas de espinafre entre as tigelas e despeje por cima o caldo, os *noodles* e os vegetais • Distribua os pedaços de frango por cima e polvilhe com as castanhas-de-caju e sementes tostadas e o restante da pimenta vermelha

# FAJITAS DE FRANGO (19 minutos)

Uma frigideira de grelhar cria o belo efeito listrado em sua *fajita*, mas você também pode usar uma frigideira grande ou um *wok*. Se utilizar uma grelha, mantenha os ingredientes se movendo de modo que nada se queime ou grude no fundo. Normalmente, eu não recomendo adicionar óleo extra à frigideira quente, mas neste caso é bom dar uma regada em tudo de vez em quando para que o frango e os pimentões fiquem bonitos e brilhantes.

**para 2 pessoas**

1 pimentão vermelho
1 cebola roxa média
2 peitos de frango desossados e sem pele,
 de preferência orgânicos ou caipiras
1 colher (chá) de páprica defumada
uma pitada pequena de cominho em pó
2 limões taiti
óleo de oliva
sal marinho e pimenta-do-reino moída na hora
4 tortilhas de farinha

1 pote de creme azedo ou de iogurte natural
1 pote de guacamole
100 g de queijo cheddar

Para a salsa

½–1 pimenta vermelha fresca, a gosto
15 tomates-cereja maduros
um punhado pequeno de coentro fresco
sal marinho e pimenta-do-reino moída na hora
1 limão taiti
óleo de oliva extravirgem

Coloque a frigideira de grelhar sobre fogo alto • Abra o pimentão ao meio, retire as sementes e corte-o em tiras • Descasque, corte e pique finamente a cebola • Fatie o frango ao comprido em longas tiras com mais ou menos o mesmo tamanho dos pimentões • Ponha os pimentões, a cebola e o frango em uma tigela com a páprica e o cominho • Esprema por cima o suco de meio limão, regue com um fio de óleo de oliva, tempere com uma boa pitada de sal e pimenta e misture bem • Deixe um lado marinar por cerca de 5 minutos, enquanto você prepara a salsa • Pique a pimenta vermelha finamente • Pique grosseiramente os tomates e o coentro, talos e tudo mais • Coloque a pimenta e os tomates em uma segunda tigela com uma boa pitada de sal e pimenta-do-reino e o suco de 1 limão • Acrescente um fio generoso de óleo de oliva, depois acrescente o coentro picado e mexa

Utilize um par de pinças para colocar todos os pedaços de pimentão, cebola e frango dentro de sua panela preaquecida para cozinhar por 6 a 8 minutos, ou até que a carne esteja dourada • Como a panela estará bem quente, continue virando os pedaços de frango e os vegetais para que eles não se queimem – devem apenas grelhar levemente para criar um sabor apetitoso • Dê um pouco de amor e atenção à panela e você terminará sorrindo • Esquente as tortilhas em um forno micro-ondas ou numa frigideira seca e quente

Divida as tortilhas quentes pelos pratos • Frango e vegetais são servidos diretamente na grelha • Apenas certifique-se de colocá-la sobre algo que não queima, como uma tábua de madeira de picar • Corte o limão restante ao meio e esprema o suco sobre a grelha fumegante • Sirva com potes de creme azedo e guacamole junto com o *cheddar*, um ralador e a salsa

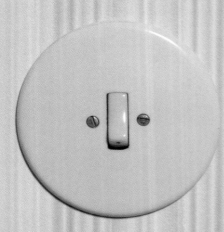
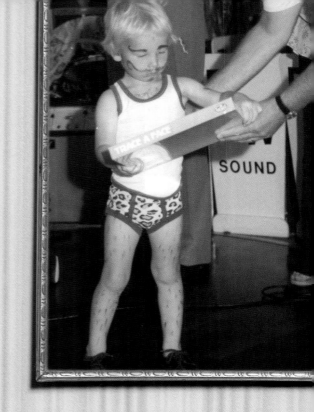

# Massa rápida

Já incluí diversas receitas de massa em meus outros livros, o que me fez pensar que acrescentar um capítulo sobre massas aqui poderia parecer repetitivo e excessivo. Mas então eu pensei: "Bem, todo mundo adora massas: são rápidas, práticas, você pode preparar pratos ótimos com coisas não-perecíveis ou com ingredientes frescos e óleo de oliva. A variedade é o tempero da vida, por isso eu digo que quanto mais receitas, mais felicidade." Então o que fiz foi tornar este capítulo completamente relevante para um cozinheiro iniciante ao incluir um punhado de receitas de massas cujos molhos podem ser preparados durante o mesmo tempo que a massa leva para cozinhar, o que varia em torno de 10 minutos. E, se você temperar uma salada e abrir uma garrafa de vinho, terá um jantar bem rápido quando voltar para casa do trabalho.

A primeira coisa com que se preocupar no preparo de uma massa é o tempero da água de cozimento. Se você utilizar sal refinado, precisará de 1 colher das de chá rasa por litro, e um pouco mais se for sal marinho. Pode parecer muito sal, mas a massa absorverá bem pouco e o restante sairá com a água escorrida. Como a massa é feita essencialmente de farinha, ovos e água, é importante lembrar-se desse passo, que, ao final, contribuirá para o sabor do prato. Sem sal na água, a massa ficará com gosto de ar.

Utilizei massa seca na maioria das receitas porque isso permite dar mais atenção ao molho. Depois de ficar confiante com o preparo dos pratos, você deveria dar uma olhada nos meus livros anteriores para achar muitas outras receitas de massa fresca.

# ESPAGUETE CLÁSSICO COM TOMATES

Este molho leva alguns minutos para ser feito. O bom desta receita é que, depois de prepará-la algumas vezes, você poderá adicionar outros ingredientes simples ao molho básico de tomates para transformá-lo completamente. Veja algumas sugestões estimulantes no final da receita.

**para 4–6 pessoas**
*2 dentes de alho*
*1 pimenta vermelha fresca*
*um punhado de manjericão fresco*
*sal marinho e pimenta-do-reino moída na hora*

*400 g de espaguete seco*
*óleo de oliva*
*1 lata (400 g) de tomates picados*
*100 g de queijo parmesão*

### Para preparar sua massa
Descasque e fatie finamente o alho • Fatie finamente a pimenta (corte-a ao meio e elimine as sementes antes, se não quiser o molho picante demais) • Arranque as folhas de manjericão dos talos e reserve-as • Pique finamente os talos

### Para cozinhar a massa
Ponha uma panela grande de água salgada para ferver, adicione o espaguete e cozinhe de acordo com as instruções da embalagem • Enquanto isso, coloque uma panela grande em fogo médio e adicione 2 generosos borrifos de óleo de oliva • Acrescente o alho, a pimenta e os talos de manjericão e mexa • Quando o alho começar a dourar levemente, adicione a maior parte das folhas de manjericão e os tomates em lata • Aumente o fogo e misture por 1 minuto • Tempere com o sal e a pimenta-do-reino • Passe o espaguete pelo escorredor, transfira-o para a panela do molho e misture bem • Prove e acrescente mais sal e pimenta-do-reino se achar necessário

### Para servir
Divida a massa pelos pratos ou leve-a à mesa em uma travessa grande e deixe que todos se sirvam • Salpique com as folhas de manjericão restantes rasgadas e rale o parmesão por cima

### O que pode ser acrescentado ao seu molho de tomate depois de preparado. É só misturar e deixar aquecer:
- Adicione um punhado de espinafre ao molho na mesma hora em que acrescentar a massa – quando as folhas tiverem murchado, retire do fogo e sirva coberto com um pouco de queijo de cabra esmigalhado
- Alguns punhados de camarões cozidos e um punhado de agrião picado, com o suco de ½ limão
- Uma lata de atum, escorrido e desmanchado dentro do molho com ½ colher (chá) de canela em pó, algumas azeitonas pretas e o suco de ½ limão
- Um punhado de ervilhas e favas frescas ou congeladas

# MASSA COM CAMEMBERT ASSADO

Muito simples. Bastam alguns ingredientes básicos e uma daquelas pequenas caixas de *Camembert* que você encontra no supermercado. Tem um aspecto e um aroma maravilhosos, e os seus convidados vão pensar que você é o cara mais esperto do mundo. Temos de admitir que massa com queijo derretido não é a coisa mais saudável do mundo, mas vale a pena de vez em quando.

**para 4–6 pessoas**

*250 g de queijo* camembert
*2 dentes de alho*
*1 ramo de alecrim fresco*
*sal marinho e pimenta-do-reino moída na hora*

*óleo de oliva extravirgem*
*100 g de queijo parmesão*
*400 g de rigatoni seco*
*150 g de espinafre fresco*

**Para preparar sua massa**
Preaqueça o forno a 180°C • Faça um corte circular na casca do queijo *camembert*, depois levante e descarte o círculo cortado • Descasque e fatie finamente o alho • Arranque as folhas de alecrim dos talos • Acomode as fatias de alho sobre o queijo, ponha uma pitada de pimenta-do-reino e regue com um pouco de óleo de oliva extravirgem • Espalhe as folhas de alecrim por cima e pressione-as levemente com os dedos para que fiquem cobertas pelo óleo • Rale o parmesão

**Para cozinhar a massa**
Acomode o queijo em um recipiente (pode ser a própria embalagem dele, desde que compatível) sobre uma assadeira e leve-o ao forno preaquecido por 25 minutos • Enquanto isso, ponha uma panela grande de água salgada para ferver • Quando faltar 10 minutos para o queijo cozinhar, adicione o rigatoni à panela e cozinhe de acordo com as instruções do pacote • Assim que estiver cozido, acrescente o espinafre à panela e deixe cozinhar só por uns 10 segundos • Passe a massa e o espinafre por um escorredor sobre uma tigela grande, reservando um pouco da água do cozimento • Ponha de volta na panela e deixe no fogo só até que o espinafre murche • Regue com um pouco de óleo de oliva extravirgem e adicione o parmesão ralado • Se achar o molho muito grosso, acrescente um pouco da água do cozimento reservada • Tempere com sal e pimenta-do-reino e mexa bem • Tire o queijo do forno

**Para servir**
Divida a massa pelos pratos • Espalhe o *camembert* derretido por cima ou deixe-o sobre a mesa para que se sirvam

# TAGLIATELLE COM BRÓCOLIS E PESTO

Esta é uma versão rápida de um clássico italiano chamado Tagliatelle alla genovese. Antes que me achem maluco por colocar raspas de batata em um prato de massa, é bom explicar que adicionar batatas fatiadas ou esmagadas à massa é algo bem tradicional. Isso cria uma cremosidade maravilhosa e um sabor incrível. Experimente.

**para 4–6 pessoas**
*1 batata média*
*1 cabeça de brócolis*
*1 punhado grande de manjericão fresco*

*70 g de queijo parmesão*
*sal marinho*
*400 g de* tagliatelle *seco*
*4 colheres (sopa) de* pesto *verde*

### Para preparar a massa
Lave e descasque a batata e use um descascador de vegetais para cortá-la em raspas bem finas • Fatie a extremidade do talo de brócolis • Corte pequenos buquês do brócolis e reserve-os • Corte ao meio o talo grosso, no sentido do comprimento, depois fatie-o finamente • Arranque as folhas de manjericão e descarte os talos. Rale o parmesão

### Para cozinhar
Ponha uma panela grande de água salgada para ferver • Adicione o *tagliatelle* e o talo de brócolis e cozinhe de acordo com as instruções do pacote • Dois minutos antes de terminar o cozimento do *tagliatelle*, acrescente os buquezinhos de brócolis e as raspas de batata • Passe tudo pelo escorredor sobre uma tigela grande, reservando um pouco da água do cozimento, e depois leve de volta à panela • Pique as folhas de manjericão e adicione à panela junto com o *pesto* e metade do parmesão • Dê uma boa mexida e, se achar o molho muito grosso, acrescente um pouco da água do cozimento

### Para servir
Divida a massa pelos pratos • Polvilhe com o restante do parmesão e das folhas de manjericão • Sirva com um grande prato de salada

# MACARRÃO COM COUVE-FLOR E QUEIJO AO FORNO

Você pode servir este prato sem gratiná-lo, se o quiser mais solto e suave, ou deixe-o sob a grelha por alguns minutos para obter uma cobertura crocante e dourada. Também, pode-se experimentar com ovos cozidos, lascas de hadoque defumado ou camarões cozidos, mas gosto do estilo mais simples, como mostro aqui.

**para 4–6 pessoas**
½ pé de couve-flor
200 g de queijo cheddar
100 g de queijo parmesão
um punhado de salsa fresca
sal marinho

400 g de macarrão seco (cotovelo, pene)
200 g de crème fraîche (se não encontrar, prepare o
    seu; o mais simples é misturar bem 1 ½ xícara de
    creme de leite fresco com ½ xícara de iogurte e
    deixar descansar na geladeira numa vasilha tampa-
    da por cerca de 6 horas ou uma noite – N. do T.)

### Para preparar a massa
Descarte as folhas verdes externas da couve-flor e fatie a extremidade do talo • Divida a couve-flor em pequenos buquês • Corte o talo grosso ao meio, no sentido do comprimento, depois fatie-o finamente • Rale o *cheddar* e o parmesão dentro de uma tigela refratária • Pique os talos e as folhas de salsa

### Para cozinhar
Ponha uma panela grande de água salgada para ferver • Adicione o macarrão e toda a couve-flor e cozinhe de acordo com as instruções da embalagem • Acomode a tigela de queijo sobre a panela e adicione o *crème fraîche* • Mexa em intervalos até que o queijo esteja derretido e uniforme • Se a água da panela ferver, apenas baixe o fogo • Acrescente a salsa picada ao queijo derretido e tempere com uma pitada de sal e pimenta-do-reino • Remova a tigela utilizando um pano de prato ou luvas de forno e reserve • Passe o macarrão por um escorredor sobre uma tigela, reservando a água do cozimento • Coloque a massa de volta na panela, despeje o queijo derretido por cima e misture • Deve ficar com uma consistência macia, mas se achar muito grosso, adicione uma borrifada da água do cozimento • Você pode servir a massa assim ou finalizá-la sob a grelha para gratinar • Para isso, preaqueça a grelha em temperatura média para alta • Adicione 150 ml da água de cozimento reservada ao macarrão, misture e transfira-o para uma travessa de assar • Deixe sob a grelha até ficar dourado e borbulhante

### Para servir
Divida a massa pelos pratos ou coloque a travessa no centro da mesa, junto com uma bela salada verde, para que todos se sirvam

# MASSA AL PANGRATTATO

Este é um modo fantástico de aproveitar pão amanhecido. Este *pangrattato* é uma mistura de farinha de rosca ou de migalhas de pão tostado, alho e ervas e dá à massa uma apreciada textura crocante. Na Itália, a massa geralmente é servida simplesmente com uma mistura de óleo, ervas e especiarias. Pode ser um ótimo almoço rápido. Se preferir, use uma lata pequena de atum picado em lugar das anchovas.

**para 4–6 pessoas**

2 dentes de alho
1–2 pimentas vermelhas secas, a gosto
4 ramos de tomilho fresco
4 fatias de pão amanhecido

sal marinho
400 g de fusilli *seco*
8 anchovas em conserva de óleo
1 limão-siciliano

### Para preparar a massa
Descasque e fatie finamente o alho • Pique finamente as pimentas • Separe as folhas de tomilho dos talos • Descarte as cascas do pão • Se as fatias estiverem secas o suficiente, rale-as finamente – caso contrário, desmanche-as com os dedos em pequenas migalhas ou passe-as rapidamente por um processador de alimentos

### Para cozinhar
Ponha uma panela grande de água salgada para ferver • Adicione o *fusilli* e cozinhe de acordo com as instruções da embalagem • Depois de metade do tempo de cozimento, coloque uma frigideira larga em fogo médio e aqueça-a • Despeje nela cerca de 2 colheres (sopa) do óleo da lata de anchovas, deixe esquentar e depois acrescente a farinha de rosca e misture • Acrescente o alho, a pimenta, as folhas de tomilho e as anchovas (mas não o óleo que sobrou na lata) e cozinhe por 4 a 5 minutos, mexendo de vez em quando, até que o farelo de pão esteja dourado • Passe o *fusilli* por um escorredor sobre uma tigela, reservando um pouco da água do cozimento para o caso de precisar deixar a massa mais solta • Coloque o *fusilli* na frigideira e misture bem • Esprema o suco de meio limão sobre a massa • Mexa, prove e, se achar que precisa de mais limão, esprema a outra metade também

### Para servir
Divida a massa pelos pratos ou coloque-a na mesa em uma travessa grande, acompanhada de uma salada crocante, para que todos se sirvam

# CONCHINHAS COM MOLHO CREMOSO DE BACON DEFUMADO E ERVILHAS

Este é um dos pratos que cozinho para meus filhos, mas, para ser honesto, é tão bom que a Jools e eu sempre comemos também! O macarrão com formato de conchinha costuma ser usado em sopas, mas o seu preparo é tão rápido e fácil que vale a pena servi-lo também com molhos. Esta receita não deve tomar mais que 5½ minutos para ser preparada, mas o tempo de cozimento terá de ser aumentado se você usar outro tipo de massa seca.

## para 4–6 pessoas

*10 fatias de* pancetta *ou* bacon *defumado,
de preferência orgânico ou caipira*
*um punhado pequeno de hortelã fresca*
*150 g de parmesão*
*sal marinho e pimenta-do-reino moída na hora*
*400 g de macarrão conchinha seco (ou de outro tipo)*

*óleo de oliva*
*uma bolota de manteiga*
*300 g de ervilhas congeladas*
*2 colheres (sobremesa) cheias de* crème
*fraîche (veja nos ingredientes da
receita da página 49 – N. do T.)*
*1 limão-siciliano*

### Para preparar a massa

Fatie finamente o *bacon* • Arranque as folhas de hortelã e descarte os talos • Fatie finamente o parmesão

### Para cozinhar

Ponha uma panela grande de água salgada para ferver • Adicione as conchinhas e cozinhe de acordo com as instruções da embalagem • Coloque uma frigideira larga em fogo médio com um pouco do óleo e a manteiga • Acrescente o *bacon*, polvilhe com pouco de pimenta-do-reino e frite-o até que fique dourado e encaracolado • Enquanto isso, pique finamente as folhas de hortelã • Assim que o *bacon* dourar, acrescente as ervilhas congeladas e dê uma boa sacudida na frigideira • Após cerca de 1 minuto, adicione o *crème fraîche* e a hortelã picada • Escorra a massa sobre uma tigela para reservar um pouco da água do cozimento • Coloque a massa na frigideira • Corte o limão ao meio e esprema o suco sobre a massa • Quando estiver tudo borbulhando, tire do fogo • É importante que o molho fique cremoso e uniforme, mas, se parecer muito grosso, adicione uma borrifada da água do cozimento reservada • Acrescente o queijo parmesão e misture tudo

### Para servir

Divida a massa pelos pratos ou coloque-a em uma travessa grande sobre a mesa para que todos se sirvam • Fica ótima com uma salada verde

# MOLHO DE TOMATE-CEREJA COM MASSA FRESCA DE LASANHA

Há anos podemos comprar folhas de massa fresca de lasanha nos supermercados e agora, também massas orgânicas. O melhor destas folhas é poder usá-las para fazer outros pratos além de lasanha, como eu faço aqui. Se não encontrar lasanha fresca, improvise – já fiz esta receita antes quebrando folhas secas de lasanha (mas será necessário cozinhá-las por mais tempo). Este é um prato bem fácil de preparar se você quiser alimentar quatro pessoas rapidamente.

O molho é do norte da Itália. Lá eles são mais inclinados a usar manteiga que os seus vizinhos do sul, o que proporciona uma textura sedosa e uma camada extra de sabor ao molho.

**para 4–6 pessoas**
400 g de tomates-cereja maduros
4 dentes de alho
um punhado de manjericão fresco
400 g de lasanha fresca

100 g de queijo parmesão
sal marinho e pimenta-do-reino moída na hora
óleo de oliva
2 bolotas de manteiga
4 colheres (sopa) de vinagre balsâmico

### Para preparar a massa
Corte os tomates-cereja ao meio ou em quatro • Descasque e fatie finamente o alho • Destaque as folhas de manjericão dos talos e reserve • Pique finamente os talos de manjericão • Corte as folhas de lasanha em 3 ou 4 tiras longas e reserve • Rale o parmesão

### Para cozinhar
Ponha uma panela grande de água salgada para ferver • Coloque uma frigideira larga em fogo médio e despeje nela 2 generosos fios de óleo de oliva e o alho • Acrescente a manteiga e deixe que derreta • Quando o alho começar a dourar, ponha os tomates-cereja • Mexa bem, depois adicione os talos de manjericão e metade das folhas • Acrescente o vinagre e tempere com sal e pimenta-do-reino • Mergulhe as tiras de massa fresca na panela de água fervente e cozinhe por 3 minutos • Escorra sobre uma tigela grande para reservar um pouco da água do cozimento • Transfira a massa para a frigideira com uma borrifada da água do cozimento e metade do parmesão • Mexa bem • Prove e ponha um pouco mais de sal e pimenta-do-reino se achar necessário

### Para servir
Divida a massa pelos pratos ou coloque a frigideira no centro da mesa e deixe que todos se sirvam • Polvilhe com o restante do parmesão e das folhas de manjericão, rasgando as maiores • Fica excelente acompanhada de uma simples salada

## BECCY HILL
### ASSISTENTE DE ENSINO

Antes de me passarem receitas, eu nunca cozinhava — sempre comprava caixas de lasanha
pronta tamanho-família, massas diferentes que
você só precisa esquentar, esse tipo de coisa.
Mas agora quero recomeçar e cozinhar tudo
usando ingredientes frescos. Sinto que estou
oferecendo algo melhor para minha família, o
que é o mais importante para mim.

# Delícias à moda chinesa

Neste país, nós amamos *stir-fries* (*tipo de preparo comum na culinária chinesa, em que os alimentos são refogados rapidamente – N. do T.*). Mesmo as crianças que encontrei em meu programa de merendas escolares os adoram. Selecionei alguns dos *stir-fries* que as pessoas mais gostam e criei as minhas versões. A idéia é fazer você preparar estes refogados deliciosos e consistentes para o almoço e o jantar. São todos muito simples, mas há coisas que você deve ter em mente para fazer tudo certo:

1. É bom ter um *wok* (*espécie de frigideira chinesa em formato de bacia – N. do T.*) para fazer esse prato. Na falta dele, uma frigideira bem larga pode dar bons resultados.

2. Se você tem fogão a gás, tudo bem. Se for elétrico, certifique-se de que o *wok* possui um fundo grosso, que suporte altas temperaturas.

3. Escrevi todas as receitas para servir 2 pessoas, porque se você tentar preparar uma porção maior, o *wok* ficará abarrotado de ingredientes. Mas, se quiser cozinhar para 4 pessoas, dobre os ingredientes e faça duas porções.

4. Você deve deixar o *wok* ou a frigideira bem quente antes de começar a cozinhar. E é importante que todos os ingredientes já estejam preparados.

5. Em lugar do frango e dos camarões, uma alternativa vegetariana deliciosa é o *tofu* em cubos.

Embora o *stir-fry* seja um método simples de cozinhar, ele exige sua atenção e agilidade – deve levar apenas 3 ou 4 minutos para prepará-lo, mas se você parar de mexê-lo por inteiro, algumas partes podem grudar e queimar.

# CHOW MEIN DE FRANGO

Esta receita utiliza um repolho macio chamado *bok choi* (repolho-chinês), fácil de cozinhar e saboroso.

**para 2 pessoas**

*um pedaço de raiz fresca de gengibre do tamanho*
*de um dedo*
*2 dentes de alho*
*½–1 pimenta vermelha fresca, a gosto*
*1 peito de frango grande sem pele, de*
  *preferência orgânico ou caipira*
*sal marinho ou pimenta-do-reino moída na hora*
*2 cebolinhas verdes*
*um punhado pequeno de coentro fresco*

*1 bok choi*
*opcional: 4 cogumelos shiitake*
*2 pacotes (100 g) de noodles de ovos*
*óleo de amendoim*
*1 colher (chá) de amido de milho*
*1 lata (220 g) de castanhas-d'água (encontrada*
  *em lojas de produtos orientais – N. do T.)*
*2–3 colheres (sopa) de molho de soja (shoyu)*
*1 limão pequeno*

### Para preparar o stir-fry

Ponha água para ferver em uma panela grande • Descasque e fatie finamente o gengibre e o alho • Fatie finamente a pimenta • Fatie o frango em tiras do tamanho de um dedo e tempere-o levemente com sal e pimenta-do-reino • Descarte as extremidades das cebolinhas e corte-as em fatias finas • Destaque as folhas de coentro, reserve-as, e pique finamente os talos • Corte o *bok choi* ao meio no sentido do comprimento • Se utilizar os cogumelos, corte-os em pedaços ou deixe-os inteiros

### Para cozinhar

Preaqueça o *wok* ou uma frigideira em fogo alto • Quando estiver bem quente despeje nela uma boa borrifada de óleo de amendoim, depois gire o *wok* para que o óleo cubra toda a superfície • Refogue as tiras de frango e cozinhe por cerca de 2 minutos, até dourar ligeiramente • Acrescente o gengibre, o alho, os talos de coentro, os cogumelos (se utilizar) e metade das cebolinhas • Refogue por 30 segundos, mexendo os ingredientes com rapidez • Adicione os *noodles* e o *bok choi* à água fervente e cozinhe por 2 a 3 minutos • Enquanto isso, acrescente as castanhas-d'água com a água de sua conserva e o amido de milho • Dê mais uma boa mexida para evitar que grude no fundo. Retire do fogo e misture com 2 colheres (sopa) de molho de soja • Corte o limão ao meio, esprema o suco de uma metade dentro do *wok* e misture bem • Escorra os *noodles* e o *bok choi* sobre uma tigela, reservando um pouco da água do cozimento • Acrescente-os ao *wok*, com um pouco da água do cozimento, se necessário, e misture bem • Prove e tempere com mais molho de soja, se quiser

### Para servir

Utilize pinças para dividir tudo em dois pratos ou para transferir para uma travessa maior de servir • Espalhe colheradas do caldo por cima e polvilhe com o restante das cebolinhas e das folhas de coentro • Sirva com cunhas do limão

## MICK TRUEMAN
### MINERADOR

O Jamie me ensinou que existe uma outra vida com a comida. Nem consigo acreditar que em oito ou nove minutos posso agora colocar uma refeição completa na mesa, com sabores incríveis, que eu nunca havia experimentado antes. Até algumas semanas atrás, eu nunca acenderia o meu forno... O Jamie é como um "encantador de cozinheiros", pois pode torná-los realmente bons! Aprender as receitas que foram passadas para mim mudou completamente a minha vida. Estou me divertindo muito.

# MINHA CARNE DE PORCO AGRIDOCE

Ok, apesar de fácil, esta receita exige agilidade, assim você terá de ficar bem concentrado. Porco agridoce é um clássico e foi um dos primeiros pratos chineses introduzidos na Grã-Bretanha. Eu tentei deixá-lo fresco e bem crocante. É melhor cozinhá-lo para duas pessoas. Perfeito para jantares em casa.

**para 2 pessoas**

*sal marinho ou pimenta-do-reino moída na hora*
*200 g de arroz basmati ou de grão longo*
*200 g de filé de carne de porco, de*
  *preferência orgânico ou caipira*
*1 cebola roxa pequena*
*1 pimentão vermelho ou amarelo (ou ½ de cada)*
*um pedaço de raiz fresca de gengibre, de 5 cm*
*2 dentes de alho*
*½–1 pimenta vermelha fresca, a gosto*
*um punhado pequeno de coentro fresco*

*óleo de amendoim*
*1 colher (chá) cheia de cinco-especiarias (mistura*
  *chinesa de pimenta-de-sichuan, anis-estrelado,*
  *cravo-da-índia, grãos de erva-doce e canela – N. do T.)*
*1 colher (chá) de amido de milho*
*2–3 colheres (sopa) de molho de soja (shoyu)*
*1 lata (cerca de 225 g) de pedaços*
  *de abacaxi em conserva*
*2 colheres (sopa) de vinagre balsâmico*
*1 alface-romana pequena de folhas estreitas*
*2 colheres (chá) de sementes de gergelim*

### Para preparar o stir-fry

Ponha uma panela grande de água para ferver e adicione o arroz • Cozinhe de acordo com as instruções do pacote • Escorra o arroz em uma peneira, coloque-o de volta à panela e cubra com papel-alumínio para mantê--lo aquecido enquanto for necessário • Corte o filé de carne de porco ao meio e corte-o em cubos de 2 cm • Descasque e corte a cebola roxa ao meio, depois corte-a em cubos de 2 cm • Corte a pimenta ao meio, raspe fora as sementes e corte-a em cubos de 2 cm • Descasque e fatie finamente o gengibre e o alho • Fatie finamente a pimenta *chilli* • Arranque as folhas de coentro e reserve • Pique finamente os talos de coentro

### Para cozinhar

Preaqueça o *wok* ou uma frigideira larga em fogo alto e quando estiver bem quente despeje nela um bom borrifo de óleo de amendoim, depois gire o *wok* para que o óleo cubra toda a superfície • Acrescente a carne de porco e as cinco-especiarias e misture bem • Cozinhe por alguns minutos até dourar, depois transfira para uma tigela com uma escumadeira • Seque cuidadosamente o *wok* com uma bola de toalhas de papel e ponha-o de volta no fogo • Quando estiver bem quente, adicione 2 generosos fios de óleo de amendoim e todos os ingredientes picados • Misture tudo e cozinhe por 2 minutos • Acrescente o amido de milho e 2 colheres de sopa de molho de soja • Deixe cozinhar por 30 a 40 segundos, depois acrescente os pedaços de abacaxi com seu suco, a carne dourada de porco e o vinagre balsâmico • Tempere com pimenta-do-reino e um pouco mais de molho de soja, se necessário • Abra um pedaço de carne de porco, veja se está cozido completamente e só então retire do fogo • Cozinhe por mais alguns segundos para reduzir o caldo até obter uma consistência de molho de carne

### Para servir

Divida o arroz e a alface pelos pratos • Cubra com colheradas de carne de porco, os vegetais e o molho e polvilhe com as sementes de gergelim e as folhas de coentro reservadas

# STIR-FRY DE CAMARÕES QUASE SEM PREPARO

Este é o tipo de receita que você pode passar no supermercado antes de voltar para casa, comprar algumas coisinhas e servir uma grande refeição depois de dez minutos na cozinha. Basta deixar todos os ingredientes preparados – depois que você começar a cozinhar, vai ser bem rápido!

## Para 2 pessoas

um pedaço de raiz fresca de gengibre do tamanho de um dedo

2 dentes de alho

1 pimenta vermelha fresca, a gosto

um punhado pequeno de coentro fresco

óleo de amendoim

200 g de camarões descascados

1 colher (chá) cheia de cinco-especiarias (mistura chinesa de pimenta-de-sichuan, anis-estrelado, cravo-da-índia, grãos de erva-doce e canela – N. do T.)

1 colher (chá) de amido de milho

6 miniespigas de milho

um punhado pequeno de ervilha-torta

2 colheres (sopa) de molho de soja (shoyu)

suco de 1 limão taiti

½ colher (chá) cheia de mel líquido

1 colher (chá) de óleo de gergelim

um punhado de ervilhas congeladas

200 g de noodles de arroz

um punhado pequeno de brotos de feijão

## Para preparar o stir-fry

Ponha água para ferver em uma panela grande • Descasque e fatie finamente o gengibre e o alho • Fatie finamente a pimenta vermelha • Arranque as folhas de coentro dos talos e reserve-as, depois pique grosseiramente os talos

## Para cozinhar

Ponha um *wok* ou uma frigideira larga em fogo alto e quando estiver bem quente adicione um generoso borrifo de óleo de amendoim, depois gire o *wok* para que o óleo cubra toda a superfície • Acrescente os talos de coentro, o gengibre, o alho, a pimenta vermelha, os camarões e as cinco-especiarias e frite por 1 minuto • Adicione o amido de milho, o milho e a ervilha-torta e mexa bem por mais 1 minuto • Acrescente o molho de soja, o suco de limão, o mel, o óleo de gergelim e a ervilha congelada • Adicione os *noodles* à panela de água fervente e use uma colher de pau para quebrá-lo um pouco • Cozinhe por apenas 2 minutos, não mais, depois escorra sobre uma tigela, reservando a água de cozimento • Acrescente uma colherada ou uma concha da água do cozimento ao *wok* e cozinhe por mais 1 ou 2 minutos

## Para servir

Divida os *noodles* pelas tigelas individuais • Cubra com colheradas de camarões, vegetais e o caldo, depois polvilhe com os brotos de feijão e as folhas de coentro

# CARNE DE BOI COM CEBOLINHA E MOLHO DE FEIJÃO-PRETO

Este prato funciona com arroz preparado antes, mantido na geladeira e já completamente frio. Se não puder cozinhar muito antes, pelo menos coloque-o na geladeira enquanto estiver preparando o restante.

**para 2 pessoas**

sal marinho e pimenta-do-reino moída na hora
200 g de arroz basmati ou de grão longo
230 g de contra-filé ou de filé de alcatra
um pedaço de raiz fresca de gengibre
  do tamanho de um polegar
2 dentes de alho
½ pimenta vermelha fresca

2 cebolinhas verdes
um punhado pequeno de coentro fresco
2 colheres (sopa) de óleo de gergelim
óleo de amendoim
2 colheres (sopa) de molho de feijão-preto
2–3 colheres (sopa) de molho de soja (shoyu)
2 limões taiti
1 ovo, de preferência caipira ou orgânico

### Para preparar o stir-fry

Ponha água salgada para ferver em uma panela grande, adicione o arroz e cozinhe de acordo com as instruções da embalagem • Escorra o arroz em uma peneira, passe-o na água fria da torneira para esfriá-lo, depois deixe que seque dentro da geladeira • Apare qualquer excesso de gordura da carne e fatie-a em tiras do tamanho de um dedo • Descasque e fatie finamente o gengibre e o alho • Fatie finamente a pimenta • Descarte as extremidades das cebolinhas e fatie-as finamente • Separe as folhas de coentro dos talos e reserve-as, depois pique finamente os talos • Coloque em uma tigela grande o gengibre, o alho, a pimenta, a cebolinha, os talos de coentro e as tiras de carne • Adicione o óleo de gergelim e misture

### Para cozinhar

Ponha um *wok* ou uma frigideira larga em fogo alto e adicione uma borrifada de óleo de amendoim, depois gire-o para que o óleo cubra toda a superfície • Adicione todos os ingredientes picados • Mexa bem rapidamente • Refogue por 2 minutos, mexendo constantemente para que nada queime • Acrescente o molho de feijão-preto e misture com 1 colher (sopa) de molho de soja e o suco de meio limão • Continue mexendo • Prove e tempere com pimenta-do-reino e um pouco mais de molho de soja • Retire o *wok* do fogo, transfira tudo para uma tigela e cubra com papel-alumínio • Seque rapidamente o *wok* com uma bola de papel-toalha e leve-o de volta ao fogo • Despeje nele mais um pouco de óleo de amendoim e gire-o para que o óleo cubra toda a superfície • Quebre o ovo dentro do *wok* e adicione 1 colher (sopa) de molho de soja – o ovo cozinhará muito rapidamente, portanto não pare de mexer • Quando obtiver um ovo mexido, acrescente o arroz esfriado e misture tudo, raspando as laterais e o fundo da panela • Continue mexendo por alguns minutos até que o arroz esteja bem quente, depois prove e tempere com um pouco de molho de soja

### Para servir

Divida o arroz em dois pratos ou tigelas • Cubra com colheradas da carne e do molho de feijão-preto e polvilhe com as folhas de coentro. Sirva com cunhas de limão – excelente!

# STIR-FRY DE SALMÃO SUPER-RÁPIDO

Este é um dos jantares mais rápidos do mundo! Leva apenas cerca de cinco minutos do início ao fim do preparo e fica ótimo com arroz ou *noodles*. É preciso preparar o arroz antes de começar o salmão, caso contrário o seu *stir-fry* estará frio quando o arroz acabar de cozinhar.

**para 2 pessoas**

*sal marinho ou pimenta-do-reino moída na hora*
*200 g de arroz basmati ou de arroz selvagem*
*350 g de filés de salmão, sem pele e sem espinhas*
*um punhado de amendoins sem casca*
*1 dente de alho*
*um pedaço de raiz fresca de gengibre*
  *do tamanho de um dedo*

*1 pimenta vermelha fresca*
*um punhado de coentro fresco*
*óleo de amendoim*
*1 colher (sopa) cheia de pasta de curry*
*um punhado de ervilha-torta*
*200 ml de leite de coco*
*um punhado de brotos de feijão*
*1 limão taiti*

## Para preparar o stir-fry

Ponha água salgada para ferver em uma panela grande, adicione o arroz e cozinhe de acordo com as instruções da embalagem • Enquanto ele estiver cozinhando, pique o salmão em pedaços iguais com 2,5 cm • Triture os amendoins em um almofariz ou coloque-os dentro de um pano de prato ou saco plástico e use um rolo de macarrão para esmagá-los • Descasque e fatie finamente o gengibre e o alho • Corte a pimenta ao meio, elimine as sementes e fatie-a finamente • Separe as folhas de coentro dos talos e reserve-as, depois pique finamente os talos

## Para cozinhar

Ponha o *wok* em fogo alto e despeje nele 2 bons borrifos de óleo de amendoim • Acrescente o alho, o gengibre, a maior parte da pimenta picada e os talos de coentro • Misture por 30 segundos, depois adicione a pasta de *curry* e mexa por mais 30 segundos • Junte o salmão, cozinhe por cerca de 1 minuto, depois adicione a ervilha-torta e o leite de coco • Deixe cozinhar por mais 1 minuto • Prove e tempere com um pouco de sal e pimenta-do-reino, se achar necessário

## Para servir

Escorra o arroz cozido e divida-o pelas tigelas • Cubra com colheradas de salmão e polvilhe com os brotos de feijão e os amendoins socados • Corte o limão ao meio e esprema o suco por cima • Polvilhe com o restante da pimenta vermelha e as folhas de coentro

# Curries fáceis

Decidi dedicar um capítulo inteiro aos *curries*, pois todos gostam de um bom *curry* (caril). A maioria dos britânicos precisa ter a sua dose semanal, e eu não sou diferente! Assim, ao criar este capítulo, comecei a pensar nos *curries* mais comuns e mais apreciados que compramos em restaurantes ou nos supermercados. Entretanto, depois que terminei de escrever as receitas, percebi que as complexas combinações de especiarias e as instruções de como devemos moê-las e tostá-las eram avançadas demais para este livro e para cozinheiros iniciantes. Assim, pensei em excluir todo o capítulo, mas acabei encontrando um produto que mudou completamente os meus planos. Em lugar de molhos de *curry* em potes, encontrei pastas aromáticas de *curry* no supermercado (aqui podem ser encontradas em lojas especializadas – N. do T.), feitas por uma empresa britânica chamada Patak's. Cito esta marca porque a considero uma das melhores pastas de *curry* do mercado (e digo isso de modo completamente independente). Por isso, mantive no livro uma versão retrabalhada do capítulo de *curry*. As receitas são fáceis e dão resultados excelentes. Você vai gostar, e também pode incrementar qualquer uma utilizando carne de boi, de carneiro, de frango ou vegetais.

Depois que pegar o jeito de usar as pastas, você poderá criar suas próprias pastas de *curry*. Neste caso, basta ir até a página 99, em que apresento versões caseiras alternativas para quem tiver um pouco mais de confiança e tempo para preparar um *curry* sozinho.

Também apresento dois pratos de acompanhamento com vegetais e algumas boas receitas de arroz, que farão com que você compre *curries* prontos com menor frequência. Combine um *curry* com um prato de vegetais e um pouco de arroz, uma porção de pães indianos, uma ótima salada verde temperada com limão, um pote pequeno de *chutney* de manga, um pouco de iogurte natural e muitas cervejas na mesa. Brilhante, vou visitar você!

# FRANGO KORMA

Este é um dos *curries* mais apreciados. É um pouco mais suave e cremoso que os outros deste capítulo, o que o torna ótimo para as crianças experimentarem. Como adoro pimenta vermelha fresca, acrescentei uma aqui, mas, se quiser manter o sabor mais suave, fique à vontade para não usá-la. Coxa de frango é mais barata que peito, assim você pode comprar um frango de melhor qualidade caso o preço seja um problema. Mas se preferir o peito, pode usá-lo em lugar da coxa. *Kormas* preparadas com camarão também são deliciosas.

**para 4–6 pessoas**

*800 kg de coxas de frango desossadas e sem pele, de preferência caipiras ou orgânicos*
*2 cebolas médias*
*opcional: 1 pimenta verde fresca*
*um pedaço de raiz fresca de gengibre do tamanho de um dedo*
*um maço pequeno de coentro fresco*
*400 g de grão-de-bico em conserva*
*óleo de amendoim*

*uma bolota de manteiga*
*150 g de pasta de* curry korma *ou a minha pasta korma (veja página 99)*
*400 ml de leite de coco*
*um punhado pequeno de amêndoas em lâminas, mais um pouco para servir*
*2 colheres (sopa) de coco seco ralado*
*sal marinho e pimenta-do-reino moída na hora*
*500 g de iogurte natural*
*1 limão-siciliano*

### Para preparar o curry

Corte o frango em pedaços de aproximadamente 3 cm • Descasque, corte ao meio e fatie finamente as cebolas • Corte ao meio, retire as sementes e fatie finamente a pimenta, se for usá-la • Descasque e pique finamente o gengibre • Destaque as folhas de coentro e pique finamente os talos • Escorra o grão-de-bico

### Para fazer

Ponha uma panela grande, tipo caçarola, em fogo alto e adicione dois fios de óleo • Coloque as coxas de frango na panela, mexa e doure todos os lados ligeiramente por 5 minutos (se utilizar peito de frango, não o coloque ainda) • Afaste o frango para um canto da panela • Acrescente a cebola, a pimenta, o gengibre e os talos de coentro, misturando-os com a manteiga • Continue mexendo para que nada grude no fundo nem queime, apenas doure uniformemente • Cozinhe por cerca de 10 minutos • Adicione a pasta de *curry*, o leite de coco, metade das amêndoas, o grão-de-bico escorrido, o coco seco e os peitos de frango fatiados (se for usá-los) • Adicione à panela 200 ml de água e misture de novo • Deixe ferver, depois baixe a chama e cozinhe em fogo brando por 30 minutos com a panela tampada • Confira o *curry* regularmente para se certificar de que não esteja secando, e adicione mais água se necessário • Quando a carne estiver tenra e cozida, prove e tempere com sal e pimenta-do-reino – cuidadosamente, por favor

### Para servir

Sirva com qualquer uma das minhas receitas de arroz (veja páginas 95–6) • Adicione algumas colheradas de iogurte natural por cima e polvilhe com o restante das lâminas de amêndoas • Finalize espalhando as folhas de coentro e acompanhe com cunhas de limão

# JALFREZI DE VEGETAIS

O melhor deste *curry* é o sabor ligeiramente agridoce dos pimentões. Experimente outras combinações de vegetais como abobrinha, berinjela ou batata, depois que estiver craque nesta versão – vegetais em nacos maiores precisam de mais tempo de cozimento, por isso acrescente-os no início, e vegetais delicados, como ervilha e espinafre, precisam de apenas alguns minutos, de modo que podem entrar bem no final. Esta receita serve 8 pessoas – divida-a pela metade caso a panela não seja grande o suficiente, ou congele o que sobrar.

**para 8 pessoas**

*1 cebola média*
*1 pimenta vermelha fresca*
*um pedaço de raiz fresca de gengibre de 5 cm*
*2 dentes de alho*
*um maço pequeno de coentro fresco*
*2 pimentões vermelhos (a foto da página ao lado mostra que são pimentões de tamanho pequeno ou médio)*
*1 couve-flor*
*3 tomates maduros*

*1 abóbora do tipo butternut (ou goianinha, ou abóbora-moranga)*
*400 g de grão-de-bico*
*óleo vegetal ou de amendoim*
*uma bolota de manteiga*
*140 g de pasta de curry jalfrezi (veja página 99)*
*400 g de tomates em conserva picados*
*4 colheres (sopa) de vinagre balsâmico*
*sal marinho e pimenta-do-reino moída na hora*
*2 limões-sicilianos*
*200 g de iogurte natural*

## Para preparar o curry

Descasque, corte ao meio e pique grosseiramente a cebola • Descasque e fatie finamente o gengibre e o alho • Destaque as folhas de coentro e pique finamente os talos • Corte ao meio, retire as sementes e pique os pimentões • Quebre as folhas verdes da couve-flor e descarte-as • Quebre a couve-flor em buquês e pique grosseiramente o talo • Corte os tomates em quatro • Corte cuidadosamente a abóbora ao meio e descarte as sementes usando uma colher • Fatie a abóbora em cunhas com 2,5 cm de largura, removendo apenas qualquer parte mais espessa, e depois fatie as cunhas em pedaços menores • Escorra o grão-de-bico

## Para fazer

Ponha uma panela grande, tipo caçarola, em fogo alto e coloque nela um pouco de óleo e a manteiga • Acrescente a cebola, a pimenta vermelha, o gengibre, o alho e os talos de coentro e cozinhe por 10 minutos, ou até que fiquem tenros e dourados • Adicione os pimentões, a abóbora, o grão-de-bico escorrido e a pasta de *curry jalfrezi* • Misture bem • Acrescente a couve-flor, os tomates frescos e em conserva e o vinagre • Encha com água as latas vazias de conserva do grão-de-bico e do tomate, despeje na panela e misture de novo • Deixe ferver, depois baixe a chama e cozinhe em fogo brando por 45 minutos com a panela tampada • Observe o *curry* regularmente para se certificar de que não esteja secando e adicione mais água se necessário • Quando os vegetais estiverem tenros, prove e tempere com sal e pimenta-do-reino e uma espremida de limão

## Para servir

Fica delicioso com *poppadums* (pão indiano) ou qualquer uma das minhas receitas de arroz (veja páginas 95-6), algumas colheradas de iogurte natural por cima, folhas de coentro salpicadas e cunhas de limão

# CURRY BIRIANI DE SOBRAS

Este é um prato delicioso que pode ser preparado com sobras de qualquer tipo de *curry* caseiro. Na falta delas, vale a pena fazer um *curry* especialmente para esta receita. Diferentemente dos outros *curries* deste capítulo, este é um prato assado, feito com camadas de arroz, carne e cebola – pense nele como uma espécie de lasanha indiana. Deve ficar ligeiramente seco, muito saboroso e com uma deliciosa textura crocante.

## para 4–6 pessoas

*sal marinho e pimenta-do-reino moída na hora*
*350 g de arroz basmati (ou de grão longo)*
*cerca de 800 g de sobras de curry*
*2 bolotas de manteiga*
*2 colheres (chá) de cúrcuma em pó*

*2 cebolas médias*
*óleo de amendoim*
*4 cravos-da-índia*
*um punhado grande de amêndoas em lâminas*
*200 g de iogurte natural*
*1 limão-siciliano*

### Para preparar o biriani

Preaqueça o forno a 250°C • Ponha água salgada para ferver em uma panela grande • Cozinhe o arroz de acordo com as instruções da embalagem • Quando estiver pronto, escorra e reserve para esfriar • Retire as sobras de *curry* da geladeira • Unte todo o interior de uma assadeira com uma das bolotas de manteiga • Polvilhe com a cúrcuma e dê uma boa sacudida para que o pó grude na manteiga • Descasque as cebolas, corte-as ao meio e fatie-as finamente

### Para fazer

Coloque uma frigideira em fogo alto com uma boa borrifada de óleo • Acrescente a cebola, os cravos-da-índia e uma pitada de sal e pimenta-do-reino • Mexa as cebolas por 7 a 10 minutos, ou até que fiquem douradas e crocantes • Ponha outra panela sobre fogo médio e adicione as sobras de *curry* com uma pequena borrifada de água, cozinhe em fogo brando por alguns minutos e mexa de vez em quando • Coloque uma colherada de arroz em uma assadeira refratária, seguida de uma camada do *curry* aquecido e uma camada de cebolas douradas • Polvilhe com um pouco das amêndoas • Repita as camadas, finalizando com uma de arroz • Pressione gentilmente a superfície para deixá-la mais uniforme • Divida a outra bolota de manteiga e passe por todo o arroz • Dobre um pedaço grande de papel-alumínio ao meio e unte ligeiramente um dos lados com óleo • Acomode o papel-alumínio sobre a assadeira, com o lado untado virado para baixo, depois pressione-o firmemente ao redor da assadeira para firmá-lo • Coloque a assadeira na parte mais baixa do forno preaquecido e asse por 50 minutos – o fundo ficará deliciosamente crocante e a superfície dourada

### Para servir

Coloque a assadeira no centro da mesa para que todos possam se servir • Fica ótimo com colheradas de iogurte natural e cunhas de limão. E mais uma salada verde grande, picles – lindo!

# CORDEIRO ROGAN JOSH

Prepare-se para um *curry* delicioso! O rogan josh é como um cozido substancioso, ligeiramente mais consistente do que alguns *curries* com sabores mais leves e adocicados. Uma das melhores coisas desta receita é a série de camadas de sabor que se pode criar. Você precisa experimentar sabores diferentes. Gosto de fazer este *curry* com cordeiro, mas sinta-se à vontade para usar carne de frango ou de porco. O tempo de cozimento será o mesmo para outra carne, desde que seja cortada também em cubos de 2,5 cm. Para uma versão vegetariana, use abóbora, batata e couve-flor e diminua o tempo de cozimento para 45 minutos.

## para 4–6 pessoas

800 g de filé de pescoço de cordeiro aparado

2 cebolas médias

1 pimenta vermelha fresca

um pedaço de raiz fresca de gengibre
   do tamanho de um dedo

um maço pequeno de coentro fresco

óleo de amendoim

uma bolota de manteiga

4 folhas de louro

sal marinho e pimenta-do-reino moída na hora

2 colheres (sopa) cheias de vinagre balsâmico

400 g de tomates em conserva picados

opcional: 800 ml de caldo de galinha

140 g de pasta de curry rogan
   josh (veja página 99)

2 punhados de lentilhas vermelhas

200 g de iogurte natural

### Para preparar o curry

Corte o cordeiro em cubos de 2,5 cm • Descasque as cebolas, corte-as ao meio e pique-as finamente • Fatie finamente a pimenta vermelha • Descasque e pique finamente o gengibre • Destaque as folhas de coentro de metade do maço e reserve-as para polvilhar • Pique o restante do coentro, inclusive os talos

### Para fazer

Ponha uma panela grande em fogo médio a alto, com um pouco de óleo e a manteiga • Acrescente a cebola, a pimenta vermelha, o gengibre, os talos de coentro e as folhas de louro e cozinhe por 10 minutos, ou até que as cebolas estejam amolecidas e douradas • Adicione os pedaços de cordeiro e um pouco de sal e pimenta-do-reino e cozinhe até que fiquem ligeiramente dourados • Acrescente o vinagre balsâmico e cozinhe por 2 minutos, depois ponha os tomates, o caldo (ou 800 ml de água quente) e a pasta de *curry rogan josh* • Junte as lentilhas à panela e misture • Deixe ferver, depois baixe a chama e cozinhe em fogo brando por cerca de 1 hora com a panela tampada • Observe o *curry* regularmente para se certificar de que não está secando ou grudando na panela e adicione mais água se necessário • Quando a carne estiver tenra e cozida, prove e acerte o tempero a seu gosto

### Para servir

Ficará fantástico com qualquer uma das minhas receitas de arroz (veja páginas 95-6), alguns *poppadums* (pão indiano) e coberto com algumas colheradas de iogurte natural • Polvilhe com as folhas de coentro e sirva com cunhas de limão • Não se esqueça de uma pequena salada verde

# FRANGO TIKKA MASALA

Este é um dos pratos indianos mais consumidos na Grã-Bretanha, provavelmente para espanto da maioria dos indianos, já que a diversidade e a regionalidade de seus pratos são enormes. Aumentar a popularidade de apenas um deles provavelmente seria visto como um absurdo na Índia. Há muita controvérsia sobre a origem exata deste prato – a maioria dos indianos diria que é uma versão bastarda britânica. O certo é que você amará a combinação do sabor *tikka* clássico com o molho cremoso ligeiramente adocicado. Eu polvilhei bem o meu tikka masala com amêndoas em lâminas.

## para 4–6 pessoas

4 peitos de frango sem pele, de preferência orgânico
ou caipira
2 cebolas médias
1 pimenta vermelha fresca
um pedaço de raiz fresca de gengibre
   do tamanho de um dedo
um maço pequeno de coentro fresco
óleo de amendoim

uma bolota de manteiga
140 g de pasta de curry tikka
   masala (veja página 99)
sal marinho e pimenta-do-reino moída na hora
400 g de tomates em conserva picados
400 ml de leite de coco
200 g de iogurte natural
um punhado pequeno de amêndoas em lâminas
1 limão-siciliano

### Para preparar o curry

Fatie os peitos de frango ao comprido em tiras com 2 cm de espessura • Descasque as cebolas, corte-as ao meio e fatie-as finamente • Fatie finamente a pimenta vermelha • Descasque e pique o gengibre • Destaque as folhas de coentro e reserve-as, depois pique finamente os talos

### Para fazer

Ponha uma panela grande em fogo médio a alto com um pouco de óleo e a manteiga • Acrescente a cebola, a pimenta vermelha, o gengibre e os talos de coentro e cozinhe por 10 minutos, ou até que fiquem tenros e dourados • Adicione a pasta de *curry tikka masala* e as tiras de frango • Misture bem para envolver tudo com a pasta e tempere com sal e pimenta • Acrescente os tomates e o leite de coco • Encha uma das latas vazias com água, despeje na panela e misture de novo • Deixe ferver, depois baixe a chama e cozinhe em fogo brando por 20 minutos com a panela tampada • Observe o *curry* regularmente para se certificar de que não está secando e adicione mais água se necessário • Quando a carne estiver tenra e cozida, prove e acrescente mais sal e pimenta-do-reino, com cuidado

### Para servir

Ficará fantástico servido com qualquer uma das minhas receitas de arroz (veja páginas 95-6) e com algumas colheradas de iogurte natural por cima • Polvilhe com as amêndoas e as folhas de coentro e sirva com algumas cunhas de limão e uma pequena salada verde temperada com limão, para arrematar

## JULIE CRITCHLOW
### DONA DE CASA

Eu sempre cozinhava pratos antiquados, ensinados pela minha mãe. Mas eu queria incrementar um pouco as coisas. Depois que me passaram a receita do *curry jalfrezi*, eu o preparei sem nenhuma ajuda – nunca havia feito aquilo antes, sempre comprava pronto. E a receita levava abóbora, o que me surpreendeu, pois nunca havia experimentado antes – é delicioso.

# VINDALOO

Adoro comer vindaloo desde criança, e foi aí que começou a minha paixão por pimentas. Este tipo de *curry* é o belo resultado da combinação entre a culinária européia e a indiana. A palavra "vindaloo" significa "vinagre e alho". Graças aos colonizadores portugueses que levaram a receita original para Goa, este prato recebeu um tratamento indiano, com a adição de diversas especiarias. Aqui eu uso carne de porco, mas funcionará também com carne de frango ou de cordeiro. Uma advertência, no entanto: este é um *curry* picante, que não é para os covardes, mas pode-se sempre remover as pimentas.

**para 4–6 pessoas**

2 cebolas médias

4 dentes de alho

1–2 pimentas vermelhas frescas, a gosto

um pedaço de raiz fresca de gengibre
   do tamanho de um dedo

um maço pequeno de coentro fresco

4 tomates maduros

óleo de amendoim

uma bolota de manteiga

800 g de paleta de porco, de preferência
   caipira ou orgânico, cortada em cubos

140 g de pasta de curry vindaloo *(veja página 99)*

sal marinho e pimenta-do-reino moída na hora

6 colheres (sopa) de vinagre balsâmico

1 colher (sopa) de mel líquido

200 g de iogurte natural

1 limão-siciliano

### Para preparar o curry

Descasque as cebolas, corte-as ao meio e fatie-as finamente • Descasque e fatie finamente o alho • Fatie a pimenta vermelha • Descasque e fatie finamente o gengibre • Destaque as folhas de coentro e pique os talos • Corte os tomates em quatro

### Para fazer

Ponha uma panela grande tipo caçarola sobre fogo médio a alto com um pouco de óleo de amendoim e a manteiga • Acrescente a cebola, o alho, a pimenta vermelha, o gengibre e os talos de coentro e cozinhe por 10 minutos, ou até que fiquem tenros e dourados • Adicione a carne de porco e a pasta de *curry vindaloo* • Misture bem e tempere com sal e pimenta-do-reino • Acrescente os tomates, o vinagre balsâmico, o mel e cerca de 400 ml de água, suficiente para cobrir tudo, e mexa de novo • Deixe ferver, depois baixe a chama e cozinhe em fogo brando por 45 minutos com a panela tampada • Observe regularmente o *curry* para se certificar de que não está grudando na panela e adicione mais água se necessário • Quando a carne estiver tenra e cozida, prove e tempere com sal e pimenta-do-reino – com cuidado, por favor

### Para servir

Fica bem com qualquer uma das minhas receitas de arroz (veja páginas 95–6) e colheradas de iogurte natural por cima • Polvilhe com as folhas de coentro e sirva com algumas cunhas de limão

# ALOO GOBHI

Sempre vejo este prato como um acompanhamento de vegetais, mas, na verdade, ele é em si mesmo um *curry*. É uma combinação realmente deliciosa de batata e couve-flor com especiarias, e recebe da cúrcuma sua bela coloração amarela.

**para 4–6 pessoas**

*1 cebola média*
*2–3 pimentas verdes frescas, a gosto*
*um pedaço de raiz fresca de gengibre*
*  do tamanho de um dedo*
*um maço pequeno de coentro fresco*
*½ couve-flor*
*500 g de batatas*

*óleo de amendoim*
*uma bolota de manteiga*
*1 colher (sopa) de sementes de mostarda preta*
*1 colher (chá) de cúrcuma em pó*
*1 colher (chá) de cominho em pó*
*2 colheres (sopa) de coco seco ralado*
*sal marinho e pimenta-do-reino moída na hora*
*1 limão-siciliano*

**Para preparar o curry**

Preaqueça o forno a 220°C • Descasque as cebolas, corte-as ao meio e pique-as finamente • Fatie finamente a pimenta verde • Descasque e pique finamente o gengibre • Destaque as folhas de coentro e pique finamente os talos • Descarte as folhas verdes externas da couve-flor, quebre-a em buquês e corte o talo grosso do meio em cubos • Descasque as batatas e corte-as em cubos de 2 cm

**Para fazer**

Ponha uma panela refratária grande em fogo médio a alto com um pouco de óleo e a manteiga • Acrescente a cebola, a pimenta vermelha, o gengibre, os talos de coentro, as sementes de mostarda, a cúrcuma e o cominho e cozinhe por 7 a 10 minutos, ou até que fiquem tenros e dourados • Misture com a couve-flor, as batatas e o coco • Tempere com sal e pimenta-do-reino e adicione 400 ml de água • Deixe ferver, depois baixe a chama e cozinhe em fogo brando com a panela tampada até que os vegetais estejam cozidos e tenros • Observe o *curry* regularmente para se certificar de que não está secando, e se for preciso acrescente mais água • Mexa e coloque a panela no forno preaquecido por mais 20 minutos • Prove e adicione mais sal e pimenta-do-reino se necessário

**Para servir**

Sirva com qualquer uma das minhas receitas de arroz (veja páginas 95–6) • Polvilhe com as folhas de coentro picadas e sirva com cunhas de limão

# CURRY VERDE THAI

Esta receita de *curry* verde é uma das melhores que eu já preparei. Também fica boa com frango em vez de camarões – apenas substitua-os por 2 peitos de frango sem pele, fatiados em tiras do tamanho de um dedo e refogue-as com a pasta por cerca de 8 minutos antes de acrescentar os outros ingredientes.

**para 2 pessoas**

*um maço de aspargos*
*½ de pimenta vermelha fresca*
*1 colher (sopa) de óleo de amendoim*
*1 colher (sopa) de óleo de gergelim*
*400 g de camarões grandes, crus, descascados*
*400 ml de leite de coco*
*um punhado de ervilha-torta*
*1 limão taiti*

Para a pasta de curry verde

*2 talos de capim-cidreira*
*4 cebolinhas verdes*
*3 pimentas verdes frescas*
*4 dentes de alho*
*um pedaço de raiz fresca de gengibre*
*um maço pequeno de coentro fresco*
*1 colher (chá) de sementes de coentro*
*opcional: 8 folhas frescas ou secas de limão kaffir*
*3 colheres (sopa) de molho de soja (shoyu)*
*1 colher (sopa) de molho de peixe*

### Para preparar

Apare os talos de capim-cidreira, descasque-os, descarte as folhas mais externas e esmague os talos algumas vezes com a base da mão ou com um rolo de massa • Apare as cebolinhas verdes • Corte as pimentas ao meio e elimine as sementes • Descasque e pique grosseiramente o alho e o gengibre • Reserve alguns galhos de coentro fresco e passe o restante por um processador de alimentos com os talos de capim-cidreira, as cebolinhas verdes, as pimentas, o alho, o gengibre, as sementes de coentro e as folhas de limão kaffir (se utilizar), até que tudo esteja finamente picado – o aroma será fantástico! Enquanto estiver processando, acrescente os molhos de soja e de peixe e processe de novo até obter uma pasta uniforme • Se você não tiver um processador, pique tudo com as mãos o mais fino que puder – pode levar algum tempo, mas valerá a pena

### Para fazer

Quebre as extremidades duras dos aspargos e descarte-as • Passe os talos por um cortador de vagens, ou fatie-os finamente ao comprido com uma faca. • Pique finamente a pimenta vermelha e reserve • Ponha uma panela grande ou um *wok* em fogo alto • Quando estiver bem quente, adicione os óleos de gergelim e de amendoim, escorra-os por toda superfície, depois coloque os camarões • Acrescente os aspargos e a pasta de *curry* verde e refogue por cerca de 30 segundos • Despeje o leite de coco e adicione a ervilha-torta • Mexa bem, deixe ferver e cozinhe por alguns minutos • Prove e adicione um pouco mais de molho de soja se achar necessário • Pressione o limão taiti sobre uma superfície, rolando para que solte mais facilmente o suco, depois corte-o ao meio e esprema o suco na panela

### Para servir

Destaque as folhas dos talos restantes de coentro • Sirva o *curry* polvilhado com essas folhas, a pimenta vermelha picada e um pouco de arroz (veja pág. 95–6) com coentro e limão

# BHAJIS DE VEGETAIS

*Bhajis* são ótimos para servir com *curry* (especialmente depois de algumas bebidas!). Eles devem ser preparados e comidos imediatamente, e podem ser feitos com todos os tipos de vegetais macios — sempre mantenha cebolas na mistura, mas tente adicionar batata-doce ralada, pimentão, alho-poró ou mesmo grão-de-bico fatiado finamente em vez de cenouras. Fica a seu critério fazer os *bhajis* grandes ou pequenos. Um processador ou um ralador grosso é muito útil para esta receita.

**para 4–6 pessoas**

*2 cenouras grandes*
*um pedaço de gengibre fresco de 10 cm*
*2 cebolas vermelhas médias*
*2–3 pimentas vermelhas frescas, a gosto*
*um maço grande de coentro fresco*
*2 colheres (chá) de sementes de mostarda*
*1 colher (chá) de cúrcuma em pó*

*1 colher (chá) de sementes de cominho*
*2 colheres (chá) de sal marinho*
*125 g de farinha com fermento*
*1 litro de óleo vegetal*
*um pedaço de batata*
*suco de 1 limão-siciliano*
*2 limões taiti*

### Para preparar o curry

Descasque e corte em tiras ou rale finamente as cenouras, o gengibre e as cebolas vermelhas e coloque tudo em uma tigela grande • Pique finamente as pimentas vermelhas e acrescente à tigela • Pique grosseiramente as folhas de coentro e os talos • Adicione à tigela as sementes de mostarda e de cominho, a cúrcuma, o sal e o coentro picado • Depois acrescente a farinha e 125 ml de água fria e amasse bem com as mãos, até obter uma ótima textura grossa

### Para fazer

É melhor fritar em uma frigideira funda, ou numa panela grande em fogo de médio a alto, com o óleo • Jogue o pedaço de batata — quando ele boiar na superfície e começar a chiar, o óleo chegou à temperatura correta • Retire a batata com uma escumadeira • Pegue uma colher (sopa) da massa de *bhaji*, pressione-a firmemente e desça-a com cuidado até o óleo quente • Repita até haver vários *bhajis* fritando ao mesmo tempo • Deixe por 5 minutos, ou até que fiquem dourados e crocantes • Remova os *bhajis* prontos com uma escumadeira e coloque-os sobre toalha de papel para escorrer • Polvilhe com um pouco de sal e uma espremida de limão • Ponha mais colheradas da massa no óleo até fritar tudo

### Para servir

Corte o limão em cunhas e sirva-as em uma travessa grande com os *bhajis* • Coma de uma vez!

# ARROZ LEVE E SOLTO

Há séculos o arroz tem sido parte essencial da dieta das pessoas, e ainda é um dos alimentos mais importantes em muitas culturas. Existem diversas variedades de arroz no mercado, mas neste capítulo o basmati é o rei. Darei a minha receita básica para fazer sempre um arroz perfeito, assim como alguns dos meus jeitos favoritos de temperá-lo. Lembro que o sabor natural do arroz simples não deve ser subestimado. Procure ficar craque no arroz simples primeiro – você não vai acreditar como ele ficará solto e leve.

Depois que pegar o jeito, pode experimentar as outras receitas. Vale a pena lembrar que qualquer ingrediente que você cozinhar com o arroz irá temperá-lo com perfumes e sabores maravilhosos. Por isso, tente cozinhá-lo com ervas frescas, canela em pau, favas de cardamomo, uma tira de raspa da casca de um limão ou mesmo um saquinho de chá verde.

## Para o arroz básico e perfeito

**para 4 pessoas**
*sal marinho*
*350 g de arroz basmati*

Ponha água salgada para ferver em uma panela grande, em fogo alto • Coloque o arroz em um escorredor e lave-o sob água corrente por cerca de 1 minuto, ou até que a água comece a sair clara (isso evitará que os grãos se grudem depois) • Acrescente o arroz à água fervente e espere até os grãos começaram a dançar • A partir desse ponto, ferva por 5 minutos, depois passe-o pelo escorredor • Despeje 2,5 cm de água dentro da panela, coloque-a de volta e deixe ferver novamente, em fogo baixo • Cubra o arroz dentro do escorredor com uma tampa de panela ou papel-alumínio, acomode-o sobre a panela de água em fervura baixa e deixe cozinhar no vapor por 8 a 10 minutos • Retire do fogo e, se tudo já estiver pronto, sirva-o imediatamente • Caso contrário, mantenha a tampa ou o papel-alumínio e deixe o arroz reservado até a hora de servir – ele deve se manter aquecido por cerca de 20 minutos

## Para o arroz de noz-moscada e alho

*8 dentes de alho / ¼ de uma noz-moscada / óleo de oliva / uma bolota de manteiga / sal marinho e pimenta-do-reino moída na hora / 1 colher (chá) rasa de canela em pó / limão-siciliano pequeno*

Cozinhe o arroz • Descasque e pique finamente o alho • Rale a noz-moscada • Coloque uma frigideira larga em fogo baixo com um fio de óleo de oliva e a manteiga • Quando a manteiga derreter, acrescente o alho e tempere com sal e pimenta-do-reino • Cozinhe até que o alho comece a dourar • Misture com a noz-moscada e a canela • Adicione o seu cozido e mexa por um bom tempo • Retire do fogo, esprema o suco de limão por cima, misture bem e sirva

## Para o arroz de cúrcuma, gengibre e limão

*1 limão-siciliano / um pedaço de 2,5 cm de raiz fresca de gengibre / óleo de oliva / uma bolota de manteiga / 1 colher (chá) rasa de cúrcuma / sal marinho e pimenta-do-reino moída na hora*

Cozinhe o arroz • Tire raspas da casca do limão, depois corte-o ao meio • Descasque e rale o gengibre • Coloque uma frigideira larga em fogo baixo, com um fio de óleo de oliva e a manteiga • Quando começar a borbulhar suavemente, adicione as raspas de limão, o gengibre e a cúrcuma e esprema o suco de limão por cima • Tempere com sal e pimenta-do-reino • Misture até obter uma pasta dourada • Ponha colheradas do arroz cozido na frigideira • Misture bem e sirva

## Para o arroz picante de pimenta vermelha

*4 favas de cardamomo / 1–2 pimentas vermelhas frescas, a gosto / óleo de oliva / 2 bolotas de manteiga / 4 cravos-da-índia / 1 colher (sopa) de purê de tomate / sal marinho e pimenta-do-reino moída na hora / 1 limão-siciliano pequeno*

Cozinhe o arroz • Abra as favas de cardamomo, guarde as sementes e descarte as favas • Pique finamente as pimentas • Coloque uma frigideira larga em fogo baixo, com um fio de óleo de oliva e a manteiga • Quando começar a borbulhar, adicione as sementes de cardamomo, a pimenta, os cravos-da-índia e o purê de tomate e tempere com sal e pimenta-do-reino • Misture e cozinhe por 2 minutos. Ponha colheradas do arroz cozido na frigideira • Mexa bem • Retire do fogo, esprema o suco de limão por cima, misture bem e sirva

## Para o arroz de limão taiti e coentro

*um maço de coentro fresco / 2 limões taiti / óleo de oliva extravirgem / sal marinho e pimenta-do-reino moída na hora*

Cozinhe o arroz • Destaque as folhas de coentro dos talos e pique finamente • Tire raspas das cascas dos limões e corte-os ao meio • Misture o coentro e as raspas de limão com o arroz, depois regue com o suco de limão e um fio generoso de óleo de oliva extravirgem • Tempere com sal e pimenta-do-reino, misture bem e sirva

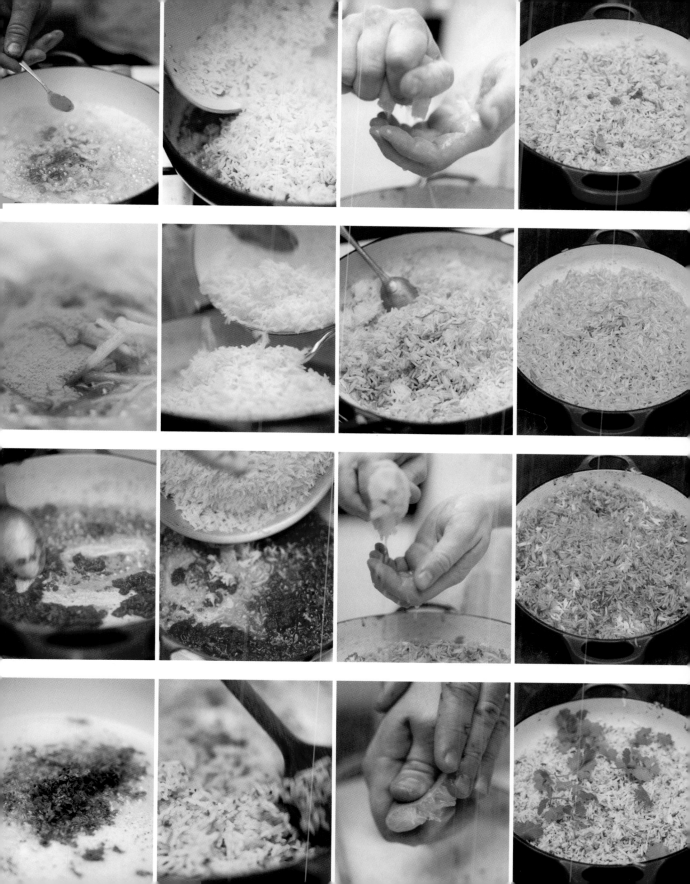

PASTAS
CASEIRAS
FÁCEIS DE
CURRY

## Pasta korma

2 dentes de alho / um pedaço de raiz fresca de gengibre do tamanho de um polegar / ½ colher (chá) de pimenta-de-caiena / 1 colher (chá) de garam masala / ½ colher (chá) de sal marinho / 2 colheres (sopa) de óleo de amendoim / 1 colher (sopa) de purê de tomate / 2 pimentas verdes frescas / 3 colheres (sopa) de coco ralado seco / 2 colheres (sopa) de amêndoas moídas / um maço pequeno de coentro fresco

Especiarias para tostar  2 colheres (chá) de sementes de cominho / 1 colher (chá) de sementes de coentro

## Pasta jalfrezi

2 dentes de alho / um pedaço de raiz fresca de gengibre do tamanho de um polegar / ½ colher (chá) de cúrcuma / ½ colher (chá) de sal marinho / 2 colheres (sopa) de óleo de amendoim / 2 colheres (sopa) de purê de tomate / 1 pimenta verde fresca / um maço pequeno de coentro fresco

Especiarias para tostar  2 colheres (chá) de sementes de cominho / 1 colher (chá) de sementes de mostarda marrom / 1 colher (chá) de sementes de feno-grego / 1 colher (chá) de sementes de coentro

## Pasta rogan josh

2 dentes de alho / um pedaço de raiz fresca de gengibre do tamanho de um polegar / 75 g de pimentões assados, em conserva / 1 colher (sopa) de páprica / 1 colher (chá) de páprica defumada / 2 colheres (chá) de garam masala / 1 colher (chá) de cúrcuma / ½ colher (chá) de sal marinho / 2 colheres (sopa) de óleo de amendoim / 2 colheres (sopa) de purê de tomate / 1 pimenta vermelha fresca / um maço pequeno de coentro fresco

Especiarias para tostar 2 colheres (chá) de sementes de cominho / 2 colheres (chá) de sementes de coentro / 1 colher (chá) de grãos de pimenta-do-reino

## Pasta tikka masala

2 dentes de alho / um pedaço de raiz fresca de gengibre do tamanho de um polegar / 1 colher (chá) de pimenta-de-caiena / 1 colher (sopa) de páprica defumada / 2 colheres (chá) de garam masala / ½ colher (chá) de sal marinho / 2 colheres (sopa) de óleo de amendoim / 2 colheres (sopa) de purê de tomate / 2 pimentas (chilli) vermelhas frescas / um maço pequeno de coentro fresco / 1 colher (sopa) de coco ralado seco / 2 colheres (sopa) de amêndoas moídas

Especiarias para tostar 1 colher (chá) de sementes de cominho / 1 colher (chá) de sementes de coentro

## Pasta vindaloo

2 dentes de alho / um pedaço de raiz fresca de gengibre do tamanho de um polegar / 4 pimentas vermelhas secas / 1 colher (sopa) de cúrcuma / ½ colher (chá) de sal marinho / 3 colheres (sopa) de óleo de amendoim / 2 colheres (sopa) de purê de tomate

Especiarias para tostar 1 colher (chá) de grãos de pimenta-do-reino / 4 cravos-da-índia / 2 colheres (chá) de sementes de coentro / 2 colheres (chá) de sementes de erva-doce / 1 colher (chá) de sementes de feno-grego

### Para preparar as pastas de curry acima

Descasque o alho e o gengibre • Coloque uma frigideira em fogo médio a alto e toste ligeiramente as especiarias na frigideira seca, até que fiquem douradas e perfumadas, depois retire a frigideira do fogo • Esmague as especiarias com um pilão até obter um pó fino, ou use um processador de alimentos • Passe-as pelo processador juntamente com o restante dos ingredientes até obter uma pasta uniforme

# Saladas adoráveis

As saladas ocupam uma posição muito importante na alimentação moderna. E o negócio é encontrar formas de fazer sua família ter vontade de comê-las. Por isso, quero ajudá-lo a entender e dominar as regras básicas do seu preparo – como rasgar ou picar ingredientes, como preparar um molho simples, que combinações de sabor e textura devem ser utilizadas. Quero que você imagine o sabor de um naco grande de pepino em uma salada comparado a uma fina lâmina. Ainda que este não seja um capítulo sobre cozinhar, todas essas coisas são essenciais para o seu aprendizado culinário. É importante saber como temperar uma salada na mesa no último instante, ou ter alguns pratos e saladeiras grandes à sua disposição para que as saladas tenham uma apresentação fantástica.

Na hora de decidir quais receitas de salada incluir neste capítulo, escolhi duas das mais vendidas nos supermercados – salada de batata e salada de arroz – e apresentei as minhas versões caseiras para elas. Também tento mostrar, com textos e fotos, como ingredientes diferentes podem dar personalidade a uma salada. Dê uma olhada nas páginas 118-19, em que apresento uma lista de grupos de ingredientes: se você escolher uma coisa de cada grupo, não poderá errar – escolha um queijo, uma alface macia, uma alface crocante, uma erva e uma cobertura como *croûtons* ou pinólis. Prometo que todas as saladas que você fizer serão de primeira! Veja agora e tudo ficará claro instantaneamente.

Outra coisa que gostaria de mostrar é como uma simples salada pode se transformar em algo um pouco mais sexy e interessante do que algumas folhas temperadas. Uma boa salada pode ser preparada com dois ou vinte ingredientes. E com certeza o número deles não determina que uma salada é melhor que a outra. Veja os diferentes tipos de "saladas em evolução". Tenho certeza de que elas se tornarão parte do seu repertório culinário.

# SALADA VERDE TEMPERADA

A primeira receita pode parecer um pouco insignificante, mas esta página é, de certo modo, o fundamento básico das saladas. Ela ajudará você a aprender como lavar, cuidar, preparar e temperar saladas que sejam apreciadas de verdade.

Sei que verduras ensacadas são convenientes e às vezes as utilizo, mas também criei o hábito de pegar alguns pés de alfaces diferentes, como a romana, a lisa, a crespa, um pouco de *radicchio* e também agrião e ervas, para preparar a minha própria combinação uma vez por semana. Sai muito mais barato e leva apenas 15 minutos para preparar.

### Para lavar as folhas das verduras
Ao chegar em casa com suas alfaces, primeiro retire as raízes e quaisquer folhas externas não muito boas, depois quebre ou rasgue o restante das folhas e dê uma boa lavada nelas • Quando estiverem limpas, gire-as em uma secadora de verduras ou sacuda-as dentro de um pano de prato até que fiquem secas

### Para armazenar
Se você forrar a prateleira de verduras de sua geladeira com dois panos de prato, acomodar as folhas em cima deles e cobrir com outro pano de prato, elas ficarão felizes lá por quatro dias • Então você poderá simplesmente preparar suas próprias saladas mistas, usando alguns dos meus temperos em potes que estão nas páginas 106–7

### Para temperar
Despeje o tempero um pouco acima das folhas e misture-as gentilmente, usando as pontas dos dedos, até que cada folha esteja envolvida

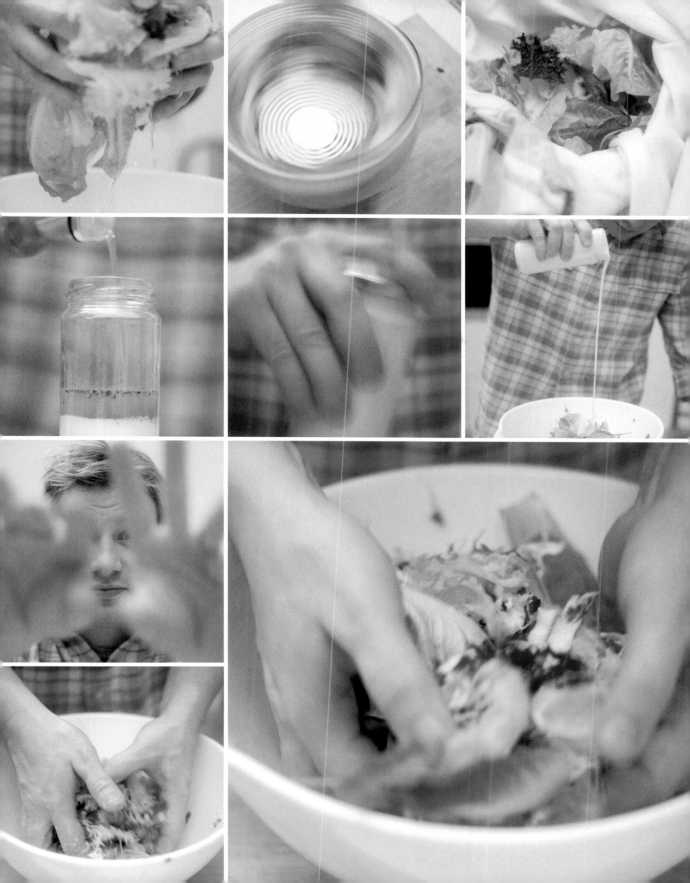

## ROBBIE E KIYA STANLEY

Nossa mãe fez um canteiro de vegetais para ela e nós plantamos alface e batata no nosso. Nós cuidamos dele e quando tudo crescer iremos comer uma salada.

# MOLHOS EM POTES DE GELEIA

Em minha opinião, a parte mais importante da salada é o molho. É muito bom dizer que todos precisam comer mais saladas, frutas e vegetais, mas isso deve representar um prazer, não uma obrigação. Ao temperar uma salada você pode deixá-la deliciosa, de modo que a comerá porque tem vontade. A outra boa notícia é que seu corpo é capaz de absorver muito mais os nutrientes das saladas por causa da presença do óleo e da acidez no molho. Assim, além de serem deliciosos, os molhos também beneficiam a sua saúde. Entretanto, não afogue a salada em molho e sempre tempere no último minuto antes de servir.

Gosto de preparar os meus molhos em potes de geleia, pois fica fácil ver como estão, agitá-los e guardar qualquer sobra na geladeira nos próprios potes. Darei a você quatro molhos básicos que podem ser usados em todas as saladas deste capítulo. Com exceção do molho de iogurte, eles se baseiam em uma proporção de 3 partes de óleo e 1 parte de ácido (vinagre ou limão). Geralmente, esta proporção é boa para preparar qualquer molho, mas é melhor provar depois de agitar o pote. Se você sentir o tempero, mas achar um pouco ácido, é sinal de que acertou na mosca, pois depois que o molho estiver nas folhas da salada o sabor ficará perfeito.

## Molho francês

Descasque e pique finamente ¼ de dente de alho • Coloque o alho, 1 colher (chá) de **mostarda Dijon**, 2 colheres (sopa) de **vinagre de vinho tinto ou branco** e 6 colheres (sopa) de **óleo de oliva extravirgem** em um pote de geleia com uma pitada de **sal marinho e pimenta-do-reino moída na hora** • Tampe o pote e agite bem

## Molho de iogurte

Coloque 6 colheres (sopa) de **iogurte natural**, 2 colheres (sopa) de **vinagre de vinho tinto ou branco** e 1 colher (sopa) de **óleo de oliva extravirgem** em um pote de geleia com uma pitada de **sal marinho e pimenta-do-reino moída na hora** • Tampe o pote e agite bem

## Molho de limão

Coloque 6 colheres (sopa) de **óleo de oliva extravirgem** em um pote de geleia com uma pitada de **sal marinho e pimenta-do-reino moída na hora** • Esprema o suco de 1 **limão-siciliano** no pote. Tampe e agite bem

## Molho balsâmico

Coloque 6 colheres (sopa) de **óleo de oliva extravirgem** e 2 colheres (sopa) de **vinagre balsâmico** em um pote de geleia com uma pitada de **sal marinho e pimenta-do-reino moída na hora** • Tampe o pote e agite bem

# SALADA VERDE EM EVOLUÇÃO

A ideia por trás desta salada é fazê-lo adquirir confiança e desenvolver as suas habilidades culinárias — ser capaz de perceber que uma simples salada pode ficar fantástica se for bem preparada. Cada etapa acrescenta apenas mais um elemento à mistura, transformando-a em algo um pouco mais interessante a cada momento.

## para 4 pessoas

1) Pegue uma **alface lisa macia** • Destaque as folhas, descartando as externas que estiverem moles e desbotadas • Lave as folhas, depois gire-as até que sequem • Quando estiver pronto para servir, coloque-as em uma tigela e regue ligeiramente com 2 colheres (sopa) de **qualquer molho** das páginas 106-7 • Se quiser acrescentar mais coisas, siga estas etapas:

2) Aqueça uma frigideira em fogo médio e adicione 4 fatias de **pancetta ou de bacon defumado, de preferência caipira ou orgânico** • Cozinhe por alguns minutos, virando algumas vezes, até que frite e doure • Se você decidiu incrementar a salada, retire as fatias da frigideira e reserve-as para que fiquem crocantes até a hora de servir • Na hora de comer, dobre as fatias quentes sobre a alface e sirva

3) Seque cuidadosamente a frigideira com uma bola de papel-toalha e coloque-a de volta sobre fogo médio • Adicione um punhado de pinólis e toste-os por 2 minutos, ou até que dourem • Polvilhe-os sobre a salada

4) Pegue um naco pequeno de **queijo parmesão** e rale-o sobre a salada

# SALADA DE BATATA EM EVOLUÇÃO

Somos um país (a Inglaterra) que ama salada de batatas, pois compramos enormes quantidades de embalagens delas nos supermercados. O triste é que, desse modo, nos acostumamos ao seu sabor insosso e sem graça: não há nada remotamente estimulante nas saladas prontas, que, além de tudo, são caras. Experimente preparar uma salada fresca de batatas e você nunca mais comprará a embalada. Geralmente, ela dura até uma semana em sua geladeira, e você poderá acrescentar todos os tipos de coisas a ela: de manjericão, endro, salsa, estragão, manjerona, folhas de aipo e de tomilho a suco de limão, iogurte, pedaços de *bacon* crocante, raiz-forte moída na hora ou em conserva, aipo picado... a lista não termina! Sirva com carnes frias, queijos ou salmão defumado. Também é ideal para o churrasco em um dia quente de verão.

## para 4 pessoas

1) Ponha uma panela de **água salgada** para ferver • Descasque 750 g de **batatas**, pique as maiores e deixe as menores inteiras • Quando a água estiver fervendo, acrescente as batatas à panela e mantenha no fogo por cerca de 10 a 15 minutos, dependendo do tamanho das batatas • Assim que estiverem cozidas, escorra-as e coloque-as numa tigela • O truque é temperar as batatas enquanto elas ainda estiverem quentes – misture 6 colheres (sopa) de **óleo de oliva extravirgem** e 2 colheres (sopa) de **suco de limão** em uma tigela • Tempere com **sal marinho e pimenta-do-reino moída na hora** e misture bem as batatas quentes ao molho • Sirva imediatamente do jeito que está, ou siga para estas etapas:

2) Pique finamente um punhado pequeno de **cebolinha fresca** e polvilhe sobre as batatas • Misture bem antes de servir

3) Misture a salada de batata temperada e a **cebolinha** com a raspa de 1 **limão** e 4 colheres (sopa) de **iogurte natural**

4) Coloque uma frigideira no fogo com uma borrifada de **óleo de oliva** • Fatie finamente 6 tiras de **bacon defumado ou pancetta, de preferência orgânico ou caipira**, em pedaços pequenos e ponha na frigideira • Misture e cozinhe por 2 a 3 minutos, ou até que o *bacon* esteja crocante e dourado • Retire do fogo • Espalhe sobre a salada de batata e sirva

1

3

# SALADA DE TOMATE EM EVOLUÇÃO

Para esta salada, a chave é usar ótimos tomates maduros. Selecione os vermelhos brilhantes, que têm um cheiro delicioso. Se puder, escolha tamanhos e cores diferentes, e apenas pique-os, deixando os menores inteiros.

**para 4 pessoas**

1) Pegue cerca de 700 g de **tomates-cereja, tomates italianos** e **tomates comuns** • Corte os maiores em cunhas, os tomates-cereja ao meio e deixe os menores inteiros • Coloque-os em uma tigela com 6 colheres (sopa) de **óleo de oliva extravirgem** e 2 colheres (sopa) de **vinagre de vinho tinto** • Misture bem os tomates com o tempero • Destaque as folhas de alguns ramos de **manjericão fresco** e espalhe-as sobre a salada • Tempere bem com **sal marinho e pimenta-do--reino moída na hora**

2) Coloque um punhado grande de **azeitonas pretas** sobre uma superfície limpa e pressione-as para baixo com a palma da mão até remover os caroços • Descarte os caroços e acrescente as azeitonas à salada • Misture bem em uma tigela antes de servir nos pratos

3) Escorra uma lata (400 g) de **feijões cannellini** (feijão-branco) e acrescente-os à salada de tomates, misturando muito bem

4) Escorra uma lata pequena de **atum**, desfaça-o em pedaços e espalhe-os sobre a salada

# SALADA DE PEPINO EM EVOLUÇÃO

Quando se trata de preparar qualquer salada com pepino, é bom se lembrar, antes de tudo, de retirar a casca e as sementes. Isso deixará a salada menos aguada e muito mais crocante e fresca.

## para 4–6 pessoas

1) Descasque 2 **pepinos**, usando um descascador de vegetais, corte fora as extremidades e divida-os ao meio, ao comprido • Utilize uma colher das de chá para raspar as sementes e descarte-as • Pique o pepino em pedacinhos irregulares e coloque-os em uma tigela • Tempere com uma boa pitada de **sal marinho e pimenta-do-reino moída na hora** • Acrescente 6 colheres (sopa) de óleo de oliva extravirgem e 2 colheres (sopa) de **suco de limão** e misture bem • Destaque algumas folhas de alguns ramos de **hortelã fresca** e pique-as grosseiramente • Adicione-as à salada e misture tudo • Sirva simplesmente assim, ou deixe que ela se desenvolva...

2) Adicione 1 colher (sopa) cheia de **iogurte natural** à salada de pepino • Misture até cobrir bem tudo e sirva regado com um pouco de **óleo de oliva extravirgem**

3) Coloque um punhado grande de **azeitonas pretas** sobre uma superfície limpa e pressione-as para baixo com a palma da mão até remover os caroços • Descarte-os e acrescente as azeitonas à salada. Misture bem

4) Corte 1 **pimenta vermelha** fresca ao meio, ao comprido, descarte as sementes e pique-a finamente • Salpique-a sobre a salada de pepinos e sirva regada com um pouco de **óleo de oliva extravirgem**

1

2

3

4

# SALADA DE CENOURA EM EVOLUÇÃO

Esta salada é muito rápida de preparar e absolutamente deliciosa. Procure cenouras de cores diferentes: amarelas, roxas, mesmo as brancas podem transformar uma humilde salada em algo bacana. Siga as minhas sugestões de evolução, ou experimente suas próprias ideias – use a imaginação e veja para onde ela o levará.

## para 4 pessoas

1) Descasque 4 ou 5 **cenouras** grandes e rale-as dentro de uma tigela • Arranque as folhas de alguns ramos de **hortelã** e de **coentro** frescos e pique-as finamente – você também pode usar **cebolinha francesa fresca** • Coloque as folhas na tigela e misture com as cenouras. Tempere com uma pitada de **sal marinho e de pimenta-do-reino moída na hora** • Acrescente 6 colheres (sopa) de **óleo de oliva extravirgem** e 2 colheres (sopa) de **suco de limão** e misture bem. Sirva imediatamente, do jeito que está, ou deixe que ela comece a se desenvolver...

2) Coloque um bom punhado de **sementes diversas** em uma frigideira quente e seca, mexa e toste por 1 minuto • Depois de tostadas, polvilhe-as sobre a salada • Descasque 2 ou 3 **clementinas** (fruta que é o resultado do cruzamento de tangerina com laranja; é escassa no Brasil, mas pode ser substituída por mexerica-do-rio, de casca amarela – N. do T.), corte-as em fatias grossas e misture-as na salada, ou acomode algumas delas em um prato de servir e empilhe a salada de cenoura por cima

3) Pegue 1 ou 2 **poppadoms** (pães indianos) e rasgue-os em pequenos pedaços • Misture-os na salada ou salpique-os sobre ela

4) E para completar, esmigalhe por cima um pouco de **queijo feta** ou de cabra antes de mandar ver!

# A FILOSOFIA DE UMA GRANDE SALADA, O ESTILO ESCOLHA-E-MISTURE

A ideia aqui é mostrar a filosofia que há por trás do preparo de uma grande salada, de modo que você possa preparar suas próprias combinações. Ao comprar e preparar verduras, escolha tipos diferentes como alface lisa e alface crocante, ervas, vegetais, queijos e várias coberturas. Depois simplesmente misture-os, tempere e regue com um molho. O resultado final será sempre bom. Não há regras, apenas comece a escolher e misturar. Mesmo com apenas 3 ou 4 ingredientes, você poderá fazer uma salada genial.

Escolha um ingrediente de cada fileira na página seguinte • Lave as folhas crocantes e macias, depois gire-as até que sequem • Destaque as folhas de ervas dos talos • Descasque ou fatie finamente os vegetais • Corte em lascas, despedace ou esmague o queijo • Misture tudo em uma vasilha grande • Regue com um dos molhos das páginas 106-7 e tempere com uma boa pitada de sal marinho e pimenta-do-reino moída na hora • Divida a salada pelos pratos de servir e polvilhe com a cobertura escolhida

**macio**

**alface lisa**

**alface folha-de-carvalho**

**alface-de-cordeiro**

**agrião**

**crocante**

**alface-romana**

**alface little gem**

**chicória**

*radicchio*

**ervas**

**hortelã**

**manjericão**

**salsa**

**rúcula**

**legumes**

**pepino**

**tomate**

**cenoura**

**aipo**

**queijos**

**parmesão**

**muçarela**

**feta**

**queijo azul cremoso**

**cobertura**

**sementes diversas tostadas**

**pinólis tostados**

*croûtons* **rústicos**

*poppadoms* **esmigalhados**

# A SALADA PICADA DA FAMÍLIA

Saladas picadas são bem fáceis de preparar. E, além do mais, com elas você adquirirá mais prática na arte de picar, então por que não preparar algo saboroso enquanto pratica suas habilidades com a faca? Qualquer um consegue preparar estas saladas – apenas certifique-se de utilizar uma boa e afiada faca de *chef* e a sua maior tábua de picar –, e cuidado com os dedos!

Quero mostrar aqui que não há limites para os diferentes ingredientes que você pode acrescentar à sua salada picada – em resumo, tudo o que estiver à disposição. A única regra é incluir dois punhados de alface crocante, a fim de obter a textura ideal da salada. Experimente ingredientes diferentes, e não se sinta obrigado a utilizar sempre os mesmos. Pimentões, tomates, ervas, diferentes tipos de queijo... Você pode usar qualquer um desses ingredientes ou todos eles em sua salada picada.

## Salada verde de todo dia

**para 4 pessoas**
*4 cebolinhas verdes*
*½ pepino*
*um punhado de folhas de manjericão fresco*
*2 avocados pequenos maduros*
*1 alface lisa*
*1 caixa pequena de agrião*

*opcional: 50 g de queijo* cheddar
*óleo de oliva extravirgem*
*vinagre de vinho tinto*
*mostarda inglesa*
*sal marinho e pimenta-do-reino moída na hora*

Pegue uma tábua larga e uma faca grande afiada • Pique a alface e o agrião, depois apare e pique as cebolinhas verdes e fatie o pepino e o manjericão • Coloque tudo no centro da tábua e continue a picar, misturando todos os ingredientes • Corte os avocados ao meio, ao comprido, e remova cuidadosamente o caroço e a casca • Adicione a polpa do avocado, as folhas de alface e o agrião à tábua • Esmigalhe o queijo por cima, se for utilizá-lo, e continue a picar • Quando tudo estiver bem picado, haverá um monte de salada no meio da tábua • Faça um buraco no centro e despeje nele 6 colheres (sopa) de óleo de oliva extravirgem e 2 colheres (sopa) de vinagre de vinho tinto • Adicione 1 colher (chá) de mostarda inglesa e uma boa pitada de sal e pimenta-do-reino • Misture tudo muito bem e sirva sobre a tábua ou em uma saladeira

# Salada chique

**para 4 pessoas**

1 cenoura
1 bulbo de funcho (erva-doce)
um punhado pequeno de rabanetes
1 pé de alface-romana inteiro ou 2
  miolos de alface-romana

2 miolos de endívia ou chicória
200 g de salmão defumado
óleo de oliva extravirgem
1 limão-siciliano
sal marinho e pimenta-do-reino moída na hora
um punhado pequeno de dill (endro) fresco

Pegue uma tábua larga para picar e uma faca grande afiada • Pique a alface, a endívia • Descasque, apare e pique a cenoura, o funcho (as folhinhas também) e os rabanetes • Coloque tudo no centro da tábua e continue a picar, misturando todos os ingredientes • Quando terminar de picar, você terá um monte de salada no centro da tábua • Fatie o salmão em pedaços pequenos e misture • Faça um buraco no centro e despeje nele 6 colheres (sopa) de óleo de oliva extravirgem e 2 colheres (sopa) de suco de limão-siciliano e uma boa pitada de sal e pimenta-do-reino • Misture para que tudo fique envolvido pelo tempero, polvilhe com um pouco de dill picado e sirva sobre a tábua ou em uma vasilha adequada

# Salada mediterrânea

## para 4 pessoas

um punhado pequeno de azeitonas pretas
½ cebola roxa
1 pimenta vermelha
3 tomates maduros firmes
1 alface-romana ou 2 alfaces little gem

*(ou 2 miolos de alface-romana)*
*um punhado de manjericão fresco*
*óleo de oliva extravirgem*
*vinagre balsâmico*
*sal marinho e pimenta-do-reino moída na hora*

Pegue uma tábua larga para picar e uma faca grande afiada • Pressione as azeitonas para baixo com a palma da mão até remover os caroços, depois descarte-os • Descasque e fatie a cebola • Corte a pimenta ao meio, raspe fora as sementes e pique-a finamente • Pique as azeitonas e os tomates • Coloque tudo no centro da tábua e continue a picar, misturando todos os ingredientes • Adicione as folhas de alface e o manjericão e pique-os também • Ao final, haverá um monte de salada no meio da tábua • Faça um buraco no centro e despeje ali 6 colheres (sopa) de óleo de oliva extravirgem, 2 colheres (sopa) de vinagre balsâmico e uma boa pitada de sal e pimenta-do-reino • Misture tudo muito bem e sirva sobre a tábua ou em uma vasilha adequada

# SALADA DE ARROZ

Saladas de arroz prontas e embaladas, assim como as de batata e o *coleslaw*, são muito populares, mas também muito ruins e sem gosto. Experimente esta receita e você não voltará a comprar saladas ensacadas de supermercado. Primeiro, você pode usar diferentes grãos de arroz – existe uma variedade de sabores, cores e texturas que podem se tornar um bônus em uma salada de arroz. Então, dê uma vasculhada quando estiver fazendo compras. A coisa mais importante é se lembrar de usar um bom óleo de oliva, um pouco de suco de limão e dar um toque picante e doce à salada com uma pimenta vermelha e pimentões vermelhos assados (tomates secos podem substituir os pimentões). Você obterá uma salada com um visual e um sabor incríveis. Melhor comê-la à temperatura ambiente.

**para 4 pessoas**
*sal marinho e pimenta-do-reino moída na hora*
*250 g de arroz selvagem de grãos longos*
*alguns ramos de manjericão fresco*
*alguns ramos de hortelã fresca*
*alguns ramos de salsa fresca*

*200 g de pimentões vermelhos assados, em conserva*
*½ pimenta vermelha fresca*
*1 limão-siciliano*
*4 colheres (sopa) de molho de*
  *limão (veja página 107)*

Ponha água salgada para ferver em uma panela grande • Adicione então o arroz e cozinhe de acordo com as instruções da embalagem • Depois de cozido, escorra o arroz e espalhe-o em uma assadeira para que esfrie mais rapidamente • Enquanto isso, arranque todas as folhas de ervas dos ramos e pique finamente os pimentões • Corte a pimenta ao meio, descarte as sementes e pique-a finamente • Prepare o molho de limão • Coloque o arroz frio em uma travessa • Pique finamente as folhas das ervas e adicione-as à vasilha, junto com os pimentões e a pimenta • Rale a casca do limão por cima, acrescente o molho e misture bem • Prove, adicione sal e pimenta-do-reino, se achar necessário, e sirva

# Sopas simples

Acho importante que todos, dos cozinheiros iniciantes aos mais avançados, saibam como preparar uma boa e simples sopa. Sopas prontas, como as que vêm em latas e potes, podem ser encontradas nos supermercados, mercearias e até em lojas de conveniência — sopa é um grande negócio! Muitas têm uma qualidade razoável e um bom sabor, contudo, nada é melhor do que a coisa verdadeira. Por isso, neste capítulo quero mostrar como é fácil transformar um punhado de vegetais em uma deliciosa sopa caseira.

O segredo para uma boa sopa é cozinhar os vegetais apenas pelo tempo necessário para que fiquem tenros o suficiente para serem mastigados ou passados no liquidificador. Isso resultará em melhor sabor e também maior valor nutritivo, já que os nutrientes não se perderão com o cozimento excessivo. O tempo curto de cozimento é muito mais difícil de ser atingido pelos fabricantes de sopas prontas, pois eles cozinham em contêineres enormes, mas é fácil para nós conseguirmos em casa.

A ideia aqui é simples — uma receita de sopa básica preparada de diversas maneiras diferentes. Depois que você entrar de cabeça nisto e fizer algumas sopas, tenho certeza de que começará a criar suas próprias combinações de sabores. E olhe na página 141, onde dou dicas para você "incrementar a sua sopa" com algumas coberturas e sabores deliciosos.

# SOPA DE FEIJÕES E VEGETAIS DA PRIMAVERA

Esta é uma sopa adorável – muito simples e tradicional. Se quiser dar-lhe um toque italiano, adicione uma lata de tomates picados, folhas rasgadas de alguns ramos de manjericão fresco e um pouco de espaguete quebrado.

## para 6–8 pessoas

*2 cenouras / 2 talos de aipo (salsão) / 2 cebolas médias / 2 dentes de alho / óleo de oliva / 1 lata (400 g) de feijão cannellini (feijão-branco) / 200 g de couve-flor / 200 g de brócolis / 200 g de espinafre / 2 tomates maduros grandes / 2 cubos de caldo de vegetais ou de galinha, de preferência orgânico / sal marinho e pimenta-do-reino moída na hora / óleo de oliva extravirgem*

## Para preparar a sopa

Descasque e fatie grosseiramente as cenouras • Fatie o aipo • Descasque e pique grosseiramente as cebolas • Descasque e fatie o alho • Coloque em fogo médio uma panela grande com 2 colheres (sopa) de óleo de oliva • Acrescente todos os seus ingredientes picados e fatiados e misture tudo com uma colher de pau • Refogue por cerca de 12 minutos, com a panela semitampada, até que as cenouras fiquem tenras, mas sem se despedaçarem, e a cebola esteja ligeiramente dourada • Enquanto isso, escorra os feijões • Quebre a couve-flor e os brócolis em buquês menores • Pique grosseiramente o espinafre • Corte os tomates em quatro • Dissolva os cubos de caldo em 1,8 litro de água fervente • Misture até que os cubos se dissolvam, depois adicione-os à panela com os vegetais • Acrescente o feijão, a couve-flor, os brócolis e os tomates • Mexa bem e deixe ferver • Abaixe o fogo e cozinhe por 10 minutos com a panela tampada

## Para servir

Adicione o espinafre à panela e cozinhe por mais 30 segundos, depois retire a panela do fogo • Se preferir a sopa sem muitos pedaços, retire metade dela e bata em um liquidificador ou com um *mixer* manual, depois misture-a com o que ficou na panela • Tempere com sal e pimenta-do-reino • Coloque conchas da sopa nos pratos e finalize regando com óleo de oliva extravirgem • Veja na página 141 algumas ótimas dicas de coberturas para sopas

# SOPA DE BATATA E ALHO-PORÓ

Que sopa clássica! Geralmente servida quente, também fica deliciosa gelada, em um dia quente de verão, com uma espremida de suco de limão e uma colherada de iogurte natural.

### para 6–8 pessoas

*2 cenouras / 2 talos de aipo (salsão) / 2 cebolas médias / 400 g de alho-poró / 2 dentes de alho / óleo de oliva / 400 g de batatas / 2 cubos de caldo de vegetais ou de galinha, de preferência orgânico / sal marinho e pimenta-do-reino moída na hora*

## Para preparar a sopa

Descasque e fatie grosseiramente as cenouras • Fatie o aipo • Descasque e pique grosseiramente as cebolas • Retire as extremidades do alho-poró, corte-os em quatro pedaços, ao comprido, lave-os sob água corrente e corte-os em fatias de 1 cm • Descasque e fatie o alho • Coloque em fogo alto uma panela grande com 2 colheres (sopa) de óleo de oliva • Acrescente todos os ingredientes picados e fatiados e misture tudo com uma colher de pau • Refogue por cerca de 10 minutos com a panela semitampada, ou até que as cenouras fiquem tenras, mas sem se despedaçarem, e a cebola e o alho-poró estejam ligeiramente dourados • Descasque as batatas e corte-as em cubos de 1 cm • Dissolva os cubos de caldo em 1,8 litro de água fervente • Misture até que os cubos se dissolvam, depois adicione à panela com os vegetais • Acrescente as batatas • Mexa bem e deixe ferver • Baixe a chama e cozinhe em fogo brando por 10 minutos com a panela tampada

## Para servir

Retire a panela do fogo • Tempere a sopa com sal e pimenta-do--reino • Sirva assim ou bata em um liquidificador até que fique uniforme e divida-a pelos pratos • Veja na página 141 algumas ótimas dicas de coberturas para sopas

# SOPA DE BATATA-DOCE COM CHOURIÇO

A batata-doce tem um sabor ótimo. Se não encontrá-la, você pode substituir por abóbora. E use o máximo de pimenta vermelha que puder, pois ela combina muito bem com abóbora. Se quiser diminuir o sabor picante, adicione uma colherada de iogurte.

### para 6–8 pessoas

*2 cenouras / 2 cebolas médias / 2 talos de aipo (salsão) / 2 dentes de alho / 800 g de batata-doce / 200 g de chouriço / um maço pequeno de salsa fresca / óleo de oliva / 1 colher (chá) de curry em pó / 2 cubos de caldo de vegetais ou de galinha, de preferência orgânico / sal marinho e pimenta-do-reino moída na hora / 1 pimenta vermelha fresca*

### Para preparar a sopa

Descasque e fatie grosseiramente as cenouras e as cebolas • Fatie o aipo • Descasque e fatie o alho • Descasque e pique as batatas-doces • Fatie o chouriço • Pique finamente as folhas e talos de salsa • Coloque uma panela grande sobre fogo alto e adicione 2 colheres (sopa) de óleo de oliva • Acrescente todos os ingredientes picados e fatiados com o *curry* em pó e misture tudo com uma colher de pau • Cozinhe por cerca de 10 minutos com a panela semitampada, ou até que as cenouras fiquem tenras, mas sem se despedaçarem, e a cebola esteja ligeiramente dourada • Dissolva os cubos de caldo em 1,8 litro de água fervente • Misture até que os cubos se dissolvam, depois adicione à panela com os vegetais • Mexa bem a sopa e deixe ferver • Baixe a chama e cozinhe em fogo brando por 10 minutos, ou até que a batata-doce esteja completamente cozida

### Para servir

Tempere com sal e pimenta-do-reino • Bata a sopa no liquidificador até que fique uniforme e espalhe por cima um pouco de pimenta vermelha picada finamente • Divida pelos pratos e mande ver

# SOPA DE ERVILHA E HORTELÃ

Uma sopa deliciosa que fica ótima quente ou fria, no verão, com uma espremida de suco de limão. Minha mulher gosta de ter uma porção de batatas *chips* para mergulhá-las na sopa – não muito correto, mas delicioso!

### para 6–8 pessoas

*2 cenouras / 2 talos de aipo (salsão) / 2 cebolas médias / 2 dentes de alho / óleo de oliva / 2 cubos de caldo de vegetais ou de galinha, de preferência orgânico / 800 g de ervilhas congeladas / um maço pequeno de hortelã fresca / sal marinho e pimenta-do-reino moída na hora / opcional: 300 g de presunto cozido, de preferência orgânico*

### Para preparar a sopa

Descasque e fatie grosseiramente as cenouras • Fatie o aipo • Descasque e pique grosseiramente as cebolas • Descasque e fatie o alho • Coloque uma panela grande em fogo médio com 2 colheres (sopa) de óleo de oliva • Acrescente todos os seus ingredientes picados e fatiados e misture tudo com uma colher de pau • Refogue por cerca de 10 minutos com a panela semitampada, ou até que as cenouras fiquem tenras, mas sem se despedaçarem, e a cebola esteja ligeiramente dourada • Dissolva os cubos de caldo em 1,8 litro de água fervente, misturando bem, depois adicione à panela com os vegetais • Acrescente as ervilhas • Mexa a sopa, deixe ferver e depois mantenha-a em fogo brando por 10 minutos • Enquanto isso, destaque as folhas de hortelã

### Para servir

Quando as ervilhas estiverem tenras, retire a panela do fogo • Tempere com sal e pimenta-do-reino e adicione as folhas de hortelã • Com um liquidificador ou um *mixer* manual, bata a sopa até que fique uniforme • Se utilizar o presunto, pique-o e misture à sopa • Aqueça por completo antes colocá-la nos pratos • Fica muito boa regada com óleo de oliva extravirgem e servida com uma fatia tostada de pão *ciabatta*

# SOPA DE TOMATE

Uma sopa clássica maravilhosa. Também fica ótima como molho básico rápido em pratos como canelone ou lasanha.

## para 6–8 pessoas

*2 cenouras / 2 talos de aipo (salsão) / 2 cebolas médias / 2 dentes de alho / óleo de oliva / 2 cubos de caldo de vegetais ou de galinha, de preferência orgânica / 2 latas (400 g cada) de tomates vermelhos / 6 tomates maduros grandes / um maço pequeno de manjericão fresco / sal marinho e pimenta-do-reino moída na hora*

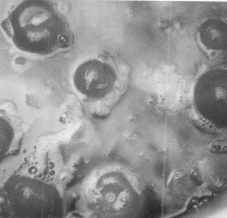

## Para preparar a sopa

Descasque e fatie grosseiramente as cenouras • Fatie o aipo • Descasque e pique grosseiramente as cebolas • Descasque e fatie o alho • Coloque uma panela grande em fogo médio com 2 colheres (sopa) de óleo de oliva • Acrescente todos os seus ingredientes picados e fatiados e misture tudo com uma colher de pau • Refogue por cerca de 10 minutos com a panela semitampada, ou até que as cenouras fiquem tenras, mas sem se despedaçarem, e a cebola esteja ligeiramente dourada • Dissolva os cubos de caldo em 1,8 litro de água fervente, misturando bem, depois adicione à panela juntamente com os tomates em conserva e os frescos, incluindo os talos verdes que podem estar presos a alguns deles (darão um sabor incrível – confie em mim!) • Mexa a sopa e deixe ferver • Baixe a chama e cozinhe em fogo brando por 10 minutos com a panela tampada • Enquanto isso, destaque as folhas de manjericão dos talos

## Para servir

Retire a panela do fogo • Tempere com sal e pimenta-do-reino e adicione as folhas de manjericão • Com um liquidificador ou um *mixer*, bata a sopa até que fique uniforme • Tempere de novo antes de colocar a sopa nos pratos • Veja na página 141 algumas ótimas dicas de coberturas para sopas

## ROBERT TINDLE
CABELEIREIRO

Eu nunca havia cozinhado com ervas antes de me passarem algumas receitas. Fui ao supermercado, vi aquelas plantas e perguntei: "Com licença, onde está o alecrim?". Resposta da moça: "Você não encontrará aqui, querido, pois é uma planta que dura pouco".

# SOPA DE COUVE-FLOR E QUEIJO

Que sopa de vegetais! Experimente esta receita uma vez e você ficará viciado. Quanto melhor for a qualidade do queijo, melhor será a sopa.

## para 6–8 pessoas

*2 cenouras / 2 talos de aipo (salsão) / 2 cebolas médias / 2 dentes de alho / 800 g de couve-flor / óleo de oliva / 200 g de queijo cheddar / 2 cubos de caldo de vegetais ou de galinha, de preferência orgânico / sal marinho e pimenta-do-reino moída na hora / 1 colher (chá) de mostarda inglesa / opcional: noz-moscada*

## Para preparar sua sopa

Descasque e fatie grosseiramente as cenouras • Fatie o aipo • Descasque e pique grosseiramente as cebolas • Descasque e fatie o alho • Corte a couve-flor em fatias de 1,5 cm • Coloque em fogo alto uma panela grande com 2 colheres (sopa) de óleo de oliva • Acrescente todos os seus ingredientes picados e fatiados e misture com uma colher de pau • Cozinhe por cerca de 10 minutos com a panela semitampada, ou até que as cenouras fiquem tenras, mas sem se despedaçarem, e a cebola esteja ligeiramente dourada • Rale o *cheddar* e reserve • Dissolva os cubos de caldo em 1,8 litro de água fervente, misturando bem, depois adicione à panela com os vegetais • Dê uma boa mexida na sopa e deixe ferver • Baixe a chama e cozinhe em fogo brando por 10 minutos com a panela tampada

## Para servir

Retire a panela do fogo • Tempere com sal e pimenta-do-reino e adicione o queijo e a mostarda • Bata a sopa no liquidificador ou com um *mixer* manual até que fique uniforme • Divida pelos pratos e rale um pouco de noz-moscada por cima, se quiser • Fica muito boa com *bacon* crocante ligeiramente frito • Veja na página 141 outras ótimas dicas de coberturas para sopas

# SOPA DE LENTILHAS E ESPINAFRE

Esta sopa funciona muito bem com ervilhas partidas amarelas ou ervilhas verdes secas, e com verduras como espinafre, repolho e acelga.

## para 6–8 pessoas

*2 cenouras / 2 talos de aipo (salsão) / 2 cebolas médias / 2 dentes de alho / óleo de oliva / um pedaço de raiz fresca de gengibre do tamanho de um dedo / ½–1 pimenta vermelha fresca, a gosto / 10 tomates-cereja / 2 cubos de caldo de vegetais ou de galinha, de preferência orgânico / 300 g de lentilhas vermelhas / 200 g de espinafre / sal marinho e pimenta-do-reino moída na hora / 200 g de iogurte natural*

### Para preparar sua sopa

Descasque e fatie grosseiramente as cenouras • Fatie o aipo • Descasque e pique grosseiramente as cebolas • Descasque e fatie o alho • Coloque uma panela grande em fogo médio com 2 colheres (sopa) de óleo de oliva • Acrescente todos os ingredientes picados e fatiados e misture tudo com uma colher de pau • Refogue por cerca de 10 minutos com a panela semi-tampada, até que as cenouras fiquem tenras, mas sem se despedaçarem, e a cebola esteja ligeiramente dourada • Enquanto isso, descasque e fatie finamente o gengibre • Descarte as sementes e fatie a pimenta • Corte os tomates-cereja ao meio • Dissolva os cubos de caldo em 1,8 litro de água fervente, misturando bem, depois adicione à panela juntamente com as lentilhas, o gengibre, a pimenta vermelha e os tomates • Mexa bem e deixe ferver • Baixe a chama e cozinhe em fogo brando por 10 minutos com a panela tampada, ou até que as lentilhas estejam cozidas • Acrescente o espinafre e continue a cozinhar por 30 segundos

### Para servir

Tempere com sal e pimenta-do-reino • Você pode servir a sopa do jeito que está ou batê-la no liquidificador até desfazer os grumos • Fica deliciosa com uma colherada de iogurte natural no prato • Veja na página 141 outras ótimas dicas de coberturas para sopas

# SOPA DE CHIRIVIA E GENGIBRE

Esta é uma grande sopa com uma combinação original de sabores. A chirivia funciona fantasticamente bem com a fragrância do gengibre. Meu modo predileto de servi-la é com alguns *croûtons*, fritos com tiras de *bacon* defumado, polvilhados sobre ela.

## para 6–8 pessoas

*2 cenouras / 2 talos de aipo / 2 cebolas médias / 800 g de chirivia (a chirivia ou pastinaca parece uma cenoura branca; se não encontrá-la, use mandioquinha ou outra raiz de sua preferência – N. do T.) / um pedaço de raiz fresca de gengibre / 2 dentes de alho / óleo de oliva / 2 cubos de caldo de vegetais ou de galinha / 2 ramos de coentro fresco / sal marinho e pimenta-do-reino moída na hora*

### Para preparar sua sopa

Descasque e fatie grosseiramente as cenouras • Fatie o aipo • Descasque e pique grosseiramente as cebolas, as chirivias e o gengibre • Descasque e fatie o alho • Coloque uma panela grande em fogo médio com 2 colheres (sopa) de óleo de oliva • Acrescente todos os ingredientes picados e fatiados e misture com uma colher de pau • Refogue por cerca de 10 minutos com a panela semitampada, ou até que as cenouras fiquem tenras, mas sem se despedaçarem, e a cebola esteja ligeiramente dourada • Dissolva os cubos de caldo em 1,8 litro de água fervente, depois adicione à panela com vegetais • Mexa bem a sopa e deixe ferver • Baixe a chama e cozinhe em fogo brando por 10 minutos com a panela tampada • Arranque as folhas de coentro e descarte os talos

### Para servir

Tempere com sal e pimenta-do-reino • Bata a sopa no liquidificador ou com um *mixer* manual até que ela fique sem grumos • Transfira para os pratos e polvilhe com as folhas de coentro • Veja na página 141 outras ótimas dicas de coberturas para sopas

# INCREMENTE A SUA SOPA

As sopas não devem ser monótonas e previsíveis, por isso, depois que você ficar craque no preparo destas sopas fáceis, incremente-as um pouco! Não darei receitas, apenas algumas dicas...

- Experimente *croûtons* grossos ou fatias de pão *ciabatta*, grelhadas, torradas ou assadas

- Rasgue ervas frescas macias como manjericão, salsa e hortelã

- Experimente esmigalhar ervas frescas macias como manjericão e salsa e misturá-las com um pouco de óleo de oliva e suco de limão-siciliano

- Frite ervas mais duras como sálvia, tomilho e alecrim em um pouco de manteiga e óleo de oliva, até que fiquem crocantes e deliciosas

- *Bacon* crocante (de preferência orgânico), esmigalhado por cima, é sempre campeão

- Sementes e nozes tostadas podem ficar interessantes em sopas cremosas

- Pimenta vermelha fresca pode dar um toque picante

- Todos os diferentes tipos de queijo podem ser esmigalhados por cima e gratinados, ou misturados à sopa

- Experimente uma boa colherada de mascarpone ou *crème fraîche*

# Carne moída caseira

A carne moída pode não ser a coisa mais glamourosa do mundo das carnes, mas certamente merece um lugar neste livro, pois é o produto mais vendido da seção de açougue dos supermercados (na Inglaterra – N. do T.). Compra-se mais esse tipo de carne do que qualquer outra, por isso quero ajudá-lo a entender um pouco mais sobre a carne moída, apresentando um punhado de receitas rápidas para tirar o melhor proveito possível desse ingrediente.

Há dois tipos de receitas de carne moída – você pode moldar uma mistura mais seca no formato de hambúrgueres ou almôndegas, ou cozinhar a carne em caldo, o que a transformará em recheio de tortas ou em molho, como o à bolonhesa e o de pimenta vermelha com carne. Ambos os modos de preparar a carne moída influenciaram a culinária de praticamente todos os países de que me recordo, da *moussaka* da Grécia à bolonhesa da Itália, e mesmo a torta de carne moída e cebola da Inglaterra.

Carne moída é barata – sempre foi e sempre será. Isso significa que você pode in-cluir carne em sua dieta regularmente e por um preço baixo. E isso também permite comprar carne orgânica, já que ela fica relativamente em conta quando moída. Hoje em dia a maioria dos supermercados estabelece padrões bem altos para vendê-la. Alguns deles, e também alguns açougueiros, atualmente oferecem carne moída com baixo teor de gordura, com a qual você poderá preparar pratos bem saudáveis.

Apoio totalmente a compra e o preparo de grandes quantidades de carne moída, pois há uma diferença relativamente pequena entre o tempo que você leva para cozinhá-la para 4 ou para 16 pessoas. E é ótimo poder embalar e congelar porções de carne moída cozida, ou almôndegas e hambúrgueres. Elas podem ser descongela-das muito rapidamente e aproveitadas no mesmo dia. Uma coisa ótima para ter no congelador quando somos surpreendidos por crianças e amigos famintos!

# UM HAMBÚRGUER DE PRIMEIRA

Não há nada melhor que um hambúrguer caseiro. Todos adoram, eles são fáceis de fazer e, quando preparados com ingredientes frescos de qualidade (e não sobrecarregados com gordura), certamente podem ser saudáveis, especialmente se servidos com salada. Depois que você ficar craque nesta receita básica e saborosa, poderá criar o seu próprio hambúrguer com diferentes ervas, especiarias e coberturas. O céu é o limite – é por isso que cozinhar é tão excitante.

# UM HAMBÚRGUER DE PRIMEIRA

**para 6 pessoas**

*12 cream crackers*
*8 ramos de salsa fresca*
*2 colheres (chá) cheias de mostarda Dijon*
*500 g de carne moída de boi de boa qualidade*
*1 ovo grande, de preferência orgânico ou caipira*
*sal marinho e pimenta-do-reino moída na hora*

*óleo de oliva*
*1 alface-romana ou lisa*
*3 tomates*
*1 cebola roxa*
*3 ou 4 pepinos em conserva*
*6 pães de hambúrguer*
*opcional: 6 fatias de queijo cheddar*

### Para preparar o hambúrguer
Embrulhe os *cream crackers* em um pano de prato e esmague-os, quebrando os pedaços maiores com as mãos, e coloque-os em uma tigela grande • Pique finamente a salsa, inclusive os talos • Adicione a salsa, a mostarda e a carne moída à tigela • Quebre o ovo dentro da tigela e acrescente uma boa pitada de sal e pimenta-do-reino • Com as mãos, esmague e misture bem tudo • Divida em 6 porções e molde cada uma delas em um formato circular com cerca de 2 cm de espessura • Regue os hambúrgueres com óleo, coloque-os em um prato, cubra-os e leve-os à geladeira até a hora de usar (isso ajuda a deixá-los firmes)

### Para cozinhar
Preaqueça uma grelha ou uma frigideira grande por cerca de 4 minutos em fogo alto • Baixe o fogo para médio • Acomode os hambúrgueres sobre a grelha ou frigideira e utilize uma espátula para pressioná-los levemente para baixo • Cozinhe-os como preferir, por 3 ou 4 minutos de cada lado – talvez seja preciso cozinhá-los em duas porções

### Para servir
Lave e seque algumas folhas pequenas de alface, rasgando as maiores • Fatie os tomates • Descasque e fatie finamente a cebola roxa • Fatie os pepinos ao comprido o mais fino que conseguir • Coloque tudo sobre uma travessa e acomode no centro da mesa ao lado dos pratos, talheres, *ketchup* e bebidas • Transfira os hambúrgueres para outro prato e seque cuidadosamente a sua grelha ou frigideira com toalhas de papel • Corte os pães de hambúrguer ao meio e toste-os ligeiramente no utensílio em que os fritou • Também fica ótimo com uma salada picada (página 120-23)

P.S. Eu prepararia esta mesma quantidade ainda que fosse para apenas 4 pessoas • Embrulharia os 2 hambúrgueres extras em filme plástico e guardaria no congelador

# ALMÔNDEGAS E MASSA

Almôndegas são fantásticas! Elas ficam ótimas sozinhas, com espaguete e um molho de tomates feito rapidamente, mas você também pode experimentá-las com arroz, purê de batatas, polenta ou um simples pedaço de pão fresco com crosta crocante. Gosto de preparar almôndegas com uma mistura de carne de boi e de porco, pois acho que isso cria um sabor e uma textura realmente maravilhosos.

# ALMÔNDEGAS E MASSA

**para 4–6 pessoas**

4 galhos de alecrim fresco

12 cream crackers

2 colheres (chá) cheias de mostarda Dijon

500 g de carne moída de boi e de porco, ou
uma mistura das duas, de boa qualidade

1 colher (sopa) cheia de orégano seco

1 ovo grande, de preferência caipira ou orgânico

sal marinho e pimenta-do-reino moída na hora

óleo de oliva

um maço de manjericão fresco

1 cebola média

2 dentes de alho

½ pimenta vermelha fresca ou seca

800 g de tomates em conserva picados

2 colheres (sopa) de vinagre balsâmico

400 g de espaguete ou penne seco

queijo parmesão, para gratinar

## Para preparar as almôndegas

Arranque as folhas de alecrim dos talos e pique-as finamente • Embrulhe os *cream crackers* em um pano de prato e esmague-os até obter um farelo fino, quebrando os pedaços maiores com as mãos • Coloque os farelos em uma tigela com a mostarda, a carne moída, o alecrim picado e o orégano • Quebre o ovo dentro da tigela e adicione uma boa pitada de sal e pimenta-do-reino • Com as mãos limpas, esmague e misture tudo muito bem • Divida a mistura em 4 bolas grandes • Com as mãos úmidas, divida cada bola em 6 porções e enrole-as para formar pequenas bolinhas – você deve ficar com 24 almôndegas • Regue-as com o óleo de oliva e role-as para que fiquem bem cobertas • Coloque-as em um prato, cubra e deixe na geladeira até a hora de usar

## Para cozinhar a massa, as almôndegas e o molho

Arranque as folhas de manjericão, reservando as menores para usar depois • Descasque e pique finamente as cebolas e o alho. Fatie finamente a pimenta vermelha • Coloque uma panela grande de água salgada para ferver • Em seguida, aqueça uma frigideira grande em fogo médio e adicione 2 fios generosos de óleo de oliva • Acrescente a cebola à frigideira e mexa por cerca de 7 minutos ou até que fique macia e ligeiramente dourada • Depois adicione o alho e a pimenta vermelha, e assim que começarem a dourar um pouco ponha junto as folhas grandes de manjericão • Acrescente os tomates e o vinagre balsâmico • Deixe ferver e tempere a gosto • Enquanto isso, aqueça outra frigideira grande e adicione um fio de óleo de oliva e as almôndegas • Mexa-as e deixe cozinhar por 8–10 minutos, ou até que fiquem douradas (para checar se estão cozidas, abra uma delas – não deve haver qualquer pedaço rosado) • Transfira as almôndegas para a frigideira com molho e deixe cozinhar em fogo brando até que a massa esteja pronta, então retire-as do fogo • Acrescente a massa à água fervente e cozinhe de acordo com as instruções do pacote

## Para servir

Escorra a massa, reservando um pouco da água do cozimento • Devolva a massa à panela • Coloque metade do molho de tomates sobre ela e adicione uma pequena borrifada da água reservada para soltar a massa • Sirva em uma travessa grande, ou em pratos separados, com o restante do molho e as almôndegas por cima • Polvilhe com as folhas pequenas de manjericão e um pouco de queijo parmesão

**GEOFF BLACKBURN**

CONSTRUTOR APOSENTADO, com
6 filhos, 17 netos e 4 bisnetos!

Minha mãe e minha mulher cozinharam para
mim a vida toda — eu nunca havia segurado
uma panela antes. Mas agora não tenho ninguém que cozinhe para mim, e não conseguia
encontrar nenhum lugar onde pudesse aprender. Até que me passaram um punhado de receitas que preparei facilmente, e gostei. Um
dia, adoraria poder fazer um assado para toda
a minha família.

# CARNE MOÍDA WELLINGTON

Esta é uma ótima alternativa para o tradicional assado de jantar, especialmente se não há tempo para assar um grande pedaço de carne. Também é um prato barato e, como a massa folhada é facilmente encontrada nos supermercados, uma maneira de preparar algo absolutamente delicioso em tempo relativamente curto. Pode-se fazer um rolo grande, como apresento aqui, ou porções individuais menores.

# CARNE MOÍDA WELLINGTON

**para 4–6 pessoas**

*1 cebola média*
*1 cenoura*
*1 talo de aipo (salsão)*
*1 batata*
*2 dentes de alho*
*2 cogumelos prataiolo ou portobello grandes*
*óleo de oliva*

*4 ramos de alecrim fresco*
*um bom punhado de ervilhas congeladas*
*1 ovo grande, de preferência caipira ou orgânico*
*500 g de carne bovina moída de boa qualidade*
*sal marinho e pimenta-do-reino moída na hora*
*farinha sem fermento, para polvilhar*
*500 g de massa folhada resfriada*

### Para preparar a carne moída

Preaqueça o forno a 180°C • Descasque e pique a cebola, a cenoura, o aipo e a batata em cubos de 1 cm • Rale finamente o alho • Limpe e pique grosseiramente os cogumelos de modo que fiquem do mesmo tamanho dos legumes • Coloque tudo em uma frigideira grande em fogo médio com 2 fios de óleo de oliva • Destaque as folhas de alecrim dos ramos, pique-as finamente e adicione à frigideira • Frite e misture por cerca de 8 minutos ou até que os vegetais estejam tenros e ligeiramente dourados • Acrescente as ervilhas e cozinhe por mais 1 minuto • Ponha a mistura em uma tigela para que esfrie completamente • Quebre um ovo dentro de uma xícara e bata • Adicione a carne moída à tigela com uma boa pitada de sal e pimenta-do-reino e metade do ovo batido • Com as mãos limpas, esmague e misture tudo muito bem

### Para abrir e rechear a massa

Polvilhe levemente uma superfície limpa e um rolo de macarrão com farinha e abra a massa folhada até que ela fique quase do tamanho de um pano de prato pequeno • Continue polvilhando com farinha enquanto você trabalha • Vire a massa de modo que o lado mais comprido fique na sua frente • Coloque a mistura de carne moída ao longo desse lado • Modele a carne moída até obter o formato de uma salsicha longa e uniforme • Pincele as extremidades da massa com um pouco do ovo batido • Enrole a massa com a carne dentro, até cobrir completamente o recheio • Esprema as extremidades laterais até juntá-las – parecerá um enorme charuto! • Polvilhe uma assadeira com farinha e acomode nela o Wellington • Pincele completamente com o restante do ovo batido • Asse no forno preaquecido por 1 hora, até dourar

### Para servir o Wellington

Fatie o Wellington em porções • É adorável servi-lo com um pouco de verduras fervidas ou cozidas no vapor, com repolho cozido misturado em um pouco de manteiga ou purê de batatas • Qualquer um dos molhos das páginas 266-71 também combina muito bem, ou simplesmente prepare um molho à base de caldo de carne

# BOLO DE CARNE ASSADO NA PANELA

Um bom bolo de carne com molho de tomates feito na hora é uma excelente comida caseira. Este prato também pode ser uma opção saborosa para o tradicional almoço de domingo e, ao prepará-lo, trate-o como se estivesse assando um grande pedaço de carne. Fazia muito esta receita para os jantares dos funcionários dos restaurantes. Segue a mesma linha das almôndegas e dos hambúrgueres — e, confie em mim, as pessoas também o adoram.

# BOLO DE CARNE ASSADO NA PANELA

**para 4–6 pessoas**

2 cebolas médias

óleo de oliva

sal marinho e pimenta-do-reino moída na hora

1 colher (chá) rasa de cominho em pó

1 colher (chá) cheia de coentro em pó

12 cream crackers

2 colheres (chá) de orégano seco

2 colheres (chá) cheias de mostarda Dijon

500 g de carne de boi moída de boa qualidade

1 ovo grande, de preferência orgânico ou caipira

2 dentes de alho

½–1 pimenta vermelha fresca, a gosto

1 colher (chá) de páprica defumada

2 colheres (sopa) de molho inglês

1 lata (400 g) de grão-de-bico, escorrido

2 latas (400 g cada) de tomates picados

2 colheres (sopa) de vinagre balsâmico

2 ramos de alecrim fresco

12 fatias de bacon defumado ou pancetta, de preferência de origem orgânica ou caipira

1 limão-siciliano

## Para preparar o bolo de carne

Preaqueça o forno na temperatura mais alta • Descasque e pique finamente uma das cebolas – não se preocupe com a técnica, apenas pique até ficar bem fino • Coloque-a em uma frigideira grande sobre fogo médio com 2 fios de óleo de oliva e uma pitada de sal e pimenta • Adicione o cominho e o coentro em pó • Frite, mexendo a cada 30 segundos, por cerca de 7 minutos ou até que a cebola fique tenra e ligeiramente dourada, depois transfira para uma tigela grande para esfriar • Embrulhe os *cream crackers* em um pano de prato e esmague-os até obter um farelo fino, quebrando os pedaços maiores com as mãos • Acrescente-os à tigela de cebolas frias com o orégano, a mostarda e a carne moída • Quebre o ovo dentro da tigela e adicione mais uma pitada de sal e pimenta-do-reino • Com as mãos, esmague e misture tudo muito bem • Transfira a mistura de carne para uma tábua, depois molde-a até obter o formato de bola de rúgbi • Esfregue-a com um pouco de óleo; você pode cozinhá-la imediatamente ou colocá-la em uma travessa, cobri-la e deixar na geladeira até a hora de usar • Acomode o bolo de carne em uma panela tipo caçarola ou em uma assadeira, coloque no forno preaquecido e baixe a temperatura imediatamente para 200°C • Asse por meia hora

## Para preparar o molho

Descasque a outra cebola e pique-a em pedaços de 1 cm • Descasque e fatie o alho • Fatie finamente a pimenta vermelha • Coloque a cebola, o alho e a pimenta em fogo médio, em uma panela grande, com 2 fios de óleo de oliva, a páprica e uma pitada de sal e de pimenta-do-reino • Cozinhe por cerca de 7 minutos, mexendo a cada 30 segundos até que fiquem tenros e ligeiramente dourados • Adicione o molho Worcestershire, o grão--de-bico e o vinagre balsâmico • Deixe ferver, depois baixe o fogo e cozinhe em fogo brando por 10 minutos • Prove o molho e ponha mais sal e pimenta-do-reino se necessário

## Para finalizar e servir

Destaque as folhas de alecrim dos galhos e coloque-as em uma tigela • Retire o bolo de carne do forno e despeje toda a gordura da panela sobre as folhas de alecrim, misturando bem • Espalhe colheradas do molho ao redor do bolo de carne • Acomode as fatias de *bacon* ou *pancetta* sobre o bolo de carne e o molho • Polvilhe o alecrim • Leve a panela de volta ao forno por 10 a 15 minutos, até que o *bacon* doure e o molho esteja borbulhante • Sirva com uma salada de folhas diversas e algumas cunhas de limão

# MOLHO À BOLONHESA

Um bom molho à bolonhesa é um clássico italiano, preparado em seu país de muitos modos diferentes, com todos os tipos de ervas e vinhos. Mas gosto desta maneira porque é realmente confiável, saborosa e simples. As massas tradicionalmente servidas com este molho são espaguete, *tagliatelle* e *penne*, além de se poder utilizar em outras preparações, como em recheios de canelone ou camadas de lasanha. Com tantas opções, vale a pena guardar qualquer restante de molho e congelá-lo para um outro dia.

# MOLHO À BOLONHESA

**para 4–6 pessoas**

2 tiras de bacon *defumado, de*
*preferência orgânico ou caipira*
2 cebolas médias
2 dentes de alho
2 cenouras
2 talos de aipo *(salsão)*
óleo de oliva
2 colheres (chá) de orégano seco

*500 g de carne moída de boa qualidade,*
*de boi ou de porco, ou (o que é ainda*
*melhor) uma mistura das duas*
2 latas *(400 g cada)* de tomates picados
*sal marinho e pimenta-do-reino moída na hora*
*um maço pequeno de manjericão fresco*
*400-500 g de espaguete ou penne seco*
*100 g de queijo parmesão*

## Para preparar o molho

Fatie finamente o *bacon* • Descasque e pique finamente as cebolas, o alho, as cenouras e o aipo • Ponha uma panela em fogo de médio a alto • Adicione 2 fios de óleo de oliva, o *bacon* fatiado e o orégano e cozinhe, mexendo sempre, até que ele esteja ligeiramente dourado • Acrescente os vegetais e mexa a cada 30 segundos por cerca de 7 minutos ou até que fiquem tenros e ligeiramente dourados • Acrescente a carne moída e os tomates em lata, misturando bem • Encha as duas latas vazias com água e despeje na panela • Misture com uma boa pitada de sal e pimenta-do-reino • Destaque as folhas de manjericão e reserve-as na geladeira • Pique bem os talos de manjericão e misture-os ao molho • Deixe ferver • Baixe a chama e cozinhe em fogo brando com a panela tampada por cerca de 1 hora, sempre mexendo • Retire o molho do fogo • Rale o parmesão e misture metade dele ao molho • Rasgue as folhas maiores de manjericão e misture-as ao molho, reservando as menores para polvilhar antes de servir • Misture bem, prove e tempere com um pouco mais de sal e pimenta-do-reino, se necessário • Deixe o molho esfriar, guarde-o em vasilhas e congele ou coma-o imediatamente com a massa abaixo

## Para cozinhar a massa e servir

Ponha uma panela grande com água salgada para ferver • Adicione a massa e misture, seguindo o tempo de cozimento do pacote – não deve cozinhar demais e ficar mole, mas *al dente* • Escorra a massa, reservando um pouco da água do cozimento • Devolva a massa à panela • Adicione metade do molho à bolonhesa e misture bem, acrescentando um pouco da água de cozimento reservada para soltar a massa • Coloque-a nos pratos e cubra com colheradas do restante do molho • Regue com óleo de oliva, polvilhe com o restante do parmesão e com as folhas pequenas de manjericão – *bellissima!*

# LASANHA

Eu não poderia fazer um capítulo sobre carne moída sem incluir uma lasanha. A carne moída usada aqui é basicamente a mesma receita do molho à bolonhesa da página 165, com algumas instruções adicionais sobre como montar a lasanha e preparar um rápido molho branco.

# LASANHA

## para 4–6 pessoas

*para o molho à bolonhesa*

2 tiras de bacon *defumado, de preferência orgânico*

2 cebolas *médias*

2 dentes de alho

2 cenouras

2 talos de aipo *(salsão)*

óleo de oliva

2 colheres *(chá) de orégano seco*

500 g de carne moída *de boa qualidade de boi ou de porco, ou (o que é ainda*

melhor!) *uma mistura das duas*

2 latas *(400 g cada) de tomates picados*

*sal marinho e pimenta-do-reino moída na hora*

*um maço pequeno de manjericão fresco*

*50 g de queijo parmesão*

*para a lasanha*

*250 g de folhas secas de lasanha com ovos*

*1 pote de 500 ml de crème fraîche*

*100 g de queijo parmesão*

*1 tomate grande maduro*

### Para preparar o molho à bolonhesa

Fatie finamente o *bacon* • Descasque e pique finamente as cebolas, o alho, as cenouras e o aipo • Ponha uma panela sobre fogo de médio a alto • Adicione 2 fios de óleo de oliva, o *bacon* e o orégano e cozinhe, mexendo sempre, até que o *bacon* esteja ligeiramente dourado • Junte os vegetais à panela e mexa a cada 30 segundos por cerca de 7 minutos • Acrescente a carne moída e os tomates em lata, misturando bem • Encha uma das latas vazias com água e adicione à panela • Misture com uma boa pitada de sal e pimenta-do-reino • Destaque as folhas de manjericão e coloque-as na geladeira para usar depois • Pique finamente os talos de manjericão e misture-os ao molho • Deixe ferver • Baixe a chama e cozinhe em fogo brando com a panela tampada por 45 minutos, mexendo constantemente

### Para finalizar o molho

Preaqueça o forno a 190°C • Retire o molho do fogo • Rale finamente o parmesão e misture um quarto dele no molho • Rasgue as folhas maiores de manjericão e adicione ao molho, reservando as menores • Prove e tempere com um pouco mais de sal e pimenta-do-reino, se necessário • Ferva um pouco de água e despeje-a em uma panela, depois acrescente todas as folhas de lasanha com um fio de óleo e deixe-as de molho (para que amoleçam ligeiramente) por 3 a 4 minutos • Escorra-as e cuidadosamente seque-as dando batidinhas com toalhas de papel

### Para preparar a lasanha

Com uma colher, coloque um terço do molho à bolonhesa no fundo de uma travessa refratária • Cubra com uma camada de folhas de massa de lasanha • Coloque um terço do *creme fraîche* por cima e espalhe-o até cobrir a massa • Polvilhe com uma pitada de sal e pimenta-do-reino e mais um quarto do queijo parmesão ralado • Adicione outra camada de folhas de massa e repita mais duas vezes, finalizando com uma camada de *creme fraîche* e o restante do parmesão • Cubra com fatias de tomate, polvilhe as folhas pequenas de manjericão e regue com óleo de oliva • Cubra com papel-alumínio, leve ao forno preaquecido e asse por 20 minutos • Depois retire o papel-alumínio e cozinhe por mais 35 minutos ou até que a lasanha esteja borbulhante e dourada • Leve a travessa à mesa com uma salada verde fresca

# O BOM E VELHO
## *CHILLI CON CARNE*

Este é um prato clássico. A maioria dos meus amigos adora com grão-de-bico, mas feijão-manteiga ou mesmo batata em cubos podem ser excelentes substitutos. Sinta-se à vontade para incrementar este prato com mais pimenta vermelha, a seu gosto. Esta receita renderá o suficiente para seis porções, portanto simplesmente congele o que sobrar caso esteja cozinhando para quatro pessoas – fica delicioso no dia seguinte, até mesmo sobre uma batata cozida com casca!

# O BOM E VELHO *CHILLI CON CARNE*

**para 6 pessoas**

2 cebolas médias

2 dentes de alho

2 cenouras médias

2 talos de aipo

2 pimentões vermelhos

óleo de oliva

1 colher (chá) de pimenta vermelha (chilli) em pó

1 colher (chá) de cominho em pó

1 colher (chá) de canela em pó

sal marinho e pimenta-do-reino moída na hora

1 lata (400 g) de grão-de-bico

1 embalagem (400 g) de feijão roxo

2 embalagens (400 g cada) de tomates picados

500 g de carne de boi moída de boa qualidade

um maço pequeno de coentro fresco

2 colheres (sopa) de vinagre balsâmico

400 g de arroz basmati

1 pote (500 g) de iogurte natural

250 g de guacamole

1 limão taiti

### Para preparar o chilli

Descasque e pique finamente as cebolas, o alho, as cenouras e o aipo – não se preocupe com a técnica, apenas pique até que fique bem fino • Corte os pimentões vermelhos ao meio, remova os talos e as sementes e pique grosseiramente • Coloque a sua maior panela em fogo médio • Adicione 2 fios de óleo de oliva e todos os vegetais picados • Acrescente a pimenta vermelha, o cominho e a canela em pó com uma boa pitada de sal e pimenta-do-reino • Mexa a cada 30 segundos por cerca de 7 minutos, ou até que fiquem tenros e ligeiramente dourados • Adicione o grão-de-bico escorrido, o feijão roxo escorrido e os tomates em lata • Acrescente a carne moída de boi, desfazendo quaisquer pedaços maiores com uma colher de pau • Encha uma das latas vazias de tomate com água e entorne dentro da panela • Destaque as folhas de coentro e coloque-as na geladeira • Pique finamente os talos de coentro e misture-os também à panela • Acrescente o vinagre balsâmico e tempere com uma boa pitada de sal e pimenta-do-reino • Deixe ferver e baixe a chama para cozinhar em fogo brando com a panela semitampada por cerca de 1 hora, mexendo constantemente

### Para servir

Este prato fica fantástico servido com um arroz solto (veja páginas 95-6) • Apenas divida o arroz e o *chilli* entre pratos grandes ou coloque-os no centro da mesa e deixe que todos se sirvam • Se você não gostar de arroz, o *chilli* fica igualmente bom com um pedaço de pão fresco de casca crocante, com cuscuz ou sobre uma batata assada com casca • Ponha na mesa um pote pequeno de iogurte, um pouco de guacamole e algumas cunhas de limão taiti, e polvilhe o *chilli* com as folhas de coentro • Adoro preparar uma boa salada verde para acompanhar

# TORTA CLÁSSICA DE CARNE MOÍDA E CEBOLA

Acho que uma boa fatia de torta é um grande prazer e esta aqui é um clássico britânico. É confortante, muito saborosa e também barata de preparar. É sempre muito prazeroso fazer uma adorável torta de carne e posso garantir que seus convidados retornarão para comer mais.

# TORTA CLÁSSICA DE CARNE MOÍDA E CEBOLA

**para 4 pessoas**

3 cebolas médias

2 cenouras

2 talos de aipo (salsão)

2 ramos de alecrim fresco

óleo de oliva

2 folhas de louro

500 g de carne moída de boi de boa qualidade

1 colher (chá) de mostarda inglesa

1 colher (chá) de marmite (é um preparado

feito com extrato de levedura, muito popular na Inglaterra; se não encontrar, suprima – N. do T.)

1 colher (sopa) de molho inglês

2 colheres (chá) de farinha, mais um pouco para polvilhar

1 cubo de caldo de carne orgânica

500 g de massa podre

1 ovo grande, de preferência caipira ou orgânico, ou uma borrifada de leite

## Para preparar o recheio

Descasque e pique as cebolas, as cenouras e o aipo em pedaços bem pequenos • Destaque as folhas de alecrim dos talos e pique-as finamente • Coloque uma panela em fogo alto, com 2 fios de óleo de oliva, e adicione os legumes e as folhas de alecrim e de louro • Mexa a cada minuto por cerca de 10 minutos ou até que os vegetais estejam tenros e ligeiramente dourados • Misture com a carne moída – desfazendo pedaços maiores com uma colher de pau • Adicione a mostarda, o *marmite* (se tiver), o molho inglês e 2 colheres (chá) de farinha • Dissolva o cubo de caldo de carne em 1 litro de água fervente e adicione à panela • Deixe ferver, depois cozinhe em fogo brando com a panela semitampada por cerca de 1 hora, mexendo constantemente

## Para preparar a torta

Ponha o recheio com a carne moída em uma travessa refratária grande e deixe esfriar • Remova a massa podre da geladeira 10 minutos antes de abri-la • Preaqueça o forno a 180°C • Polvilhe uma superfície e o rolo de macarrão com um pouco de farinha e abra a massa até que fique com 3 mm de espessura • Quando ela estiver larga o suficiente para cobrir a travessa, enrole a massa ao redor do rolo e desenro-le-a sobre a travessa (não se preocupe se ela se rasgar, apenas remende-a) • Passe uma faca pela beirada da travessa para aparar algum excesso de massa • Com um garfo, pressione a massa ao redor da beirada da travessa para deixá-la "plissada" • Faça um buraco no centro da massa com a ponta de uma faca • Pincele o topo da torta com o ovo batido ou com um pouco de leite • Asse na prateleira mais baixa do forno preaquecido por 40 minutos, ou até que a massa esteja dourada e crocante

## Para servir a torta

Acomode a travessa no centro da mesa • Como a torta é muito saborosa e suculenta, é melhor servi-la com verduras como brócolis ou ervilhas, simplesmente cozidas e misturadas com um pouco de manteiga

# Ensopados reconfortantes

Um bom ensopado é delicioso, agradável, nutritivo, simples, nostálgico, barato de preparar e pode ser comido e apreciado de diversas maneiras.

Algumas pessoas acham que os cortes de carne para ensopados são de qualidade inferior. Não é bem assim. Sem dúvida, os cortes são mais baratos, mas vieram das partes do corpo do animal que trabalharam muito — como as pernas (muita caminhada) e a área do pescoço (que sustenta a cabeça enquanto ela se abaixa até o solo para comer!). O resultado é que essa carne contém mais tecido conjuntivo, que dificilmente fica tenro quando cozido rapidamente como um filé. Mas, se você cozinhá-la lentamente, os tecidos rijos acabarão se derretendo, deixando a carne muito macia e ainda mais saborosa. Por isso, essas carnes são perfeitas para preparar ensopados.

Neste capítulo eu me concentrei em mostrar como se faz um ensopado básico para todas as ocasiões. Eu o apresento como uma receita principal, o que permitirá a você transformá-la facilmente, utilizando diferentes carnes, ervas e bebidas. Tenho certeza de que rapidamente você ganhará confiança para preparar as suas próprias variações. É ótimo servir um ensopado em jantares familiares e de amigos, porque enquanto ele está cozinhando no forno, você fica livre para fazer outras coisas.

Um ensopado com pão de casca crocante e algumas verduras é um jantar delicioso. Mas apresento ainda mais quatro jeitos diferentes de servi-lo: com cobertura de batatas amassadas, massa folhada, fatias de batatas e bolinhos de massa. Todas são ótimas maneiras e muito simples de finalizar um ensopado.

# RECEITA BÁSICA DE ENSOPADO

Você irá adorar este ensopado preparado lentamente: uma receita bastante simples com resultados muito bons. Experimente cada uma das diversas opções. Recomendo que você se atenha às combinações de carnes e bebidas que eu apresento, mas se quiser alterar e misturar as ervas, fique à vontade. Nas quatro opções abaixo, a carne deve ser cortada em cubos de aproximadamente 2 cm.

Receitas de ensopado geralmente pedem que primeiramente se doure a carne, mas fiz montes de testes e descobri que a carne fica igualmente deliciosa e tenra quando não é dourada antes, por isso eliminei essa etapa.

## Para cada ensopado:
### para 4–6 pessoas

*2 talos de salsão (aipo)*
*2 cebolas médias*
*2 cenouras*

*óleo de oliva*
*1 colher (sopa) de farinha sem fermento*
*400 g de tomates picados*
*sal marinho e pimenta-do-reino moída na hora*

## Depois escolha uma das combinações:

### Carne de boi e cerveja (3 horas)

*3 folhas de louro frescas ou secas*
*500 g de carne de boi para ensopado,*
   *cortada em cubos*
*500 ml de cerveja clara ou escura*

### Carne de porco e cidra (2½ horas)

*3 ramos de sálvia fresca*
*500 g de carne de porco para ensopado, cortada*
   *em cubos, de preferência orgânica ou caipira*
*500 ml de cidra (a receita pede uma cidra*
   *"meio seca", facilmente encontrada em*
   *lojas de importados – N. do T.)*

### Carne de frango e vinho branco
*(1½ hora)*

*3 ramos de tomilho fresco*
*500 g de coxas de frango desossadas,*
   *sem pele e cortadas em cubos*
*500 ml de vinho branco*

### Carne de cordeiro e vinho tinto
*(2½ horas)*

*3 galhos de alecrim fresco*
*500 g de carne de cordeiro para*
   *ensopado, cortada em cubos*
*500 ml de vinho tinto*

Se for utilizar o forno para preparar o seu ensopado, preaqueça-o a 200°C • Apare as extremidades do aipo e pique grosseiramente os talos • Descasque e pique grosseiramente as cebolas • Descasque as cenouras, fatie-as ao comprido e pique-as grosseiramente • Ponha uma panela tipo caçarola sobre fogo médio • Coloque todos os vegetais e as ervas escolhidas dentro da panela com 2 fios generosos de óleo de oliva e frite por 10 minutos • Acrescente a carne e a farinha • Despeje a bebida e os tomates em lata • Dê uma boa mexida, depois tempere com 1 colher (chá) de sal marinho (ponha menos se você utilizar sal de mesa) e um pouco de pimenta-do-reino moída na hora • Deixe ferver, tampe a panela e cozinhe lentamente em fogo brando sobre o fogão ou leve-a ao forno pelo tempo indicado acima • Remova a tampa durante a última meia hora de cozimento • Quando estiver pronta, a carne deverá estar tenra e deliciosa • Lembre-se de remover as folhas de louro ou os talos de ervas antes de servir o ensopado, e prove-o para checar se é preciso um pouco mais de sal ou pimenta

## MATTHEW BORRINGTON
PEDREIRO

Sou solteiro e moro sozinho. Meus pais não estão mais aqui para fazer comida para mim, por isso achei que seria uma boa hora para aprender a cozinhar. Agora que me passaram algumas receitas, estou fzendo coisas que nunca imaginei que faria. Na verdade, as pessoas pedem que eu cozinhe para elas, e fico orgulhoso quando vejo que elas gostaram de algo que eu preparei.

# Por que não adicionar uma tampa de massa folhada ao seu ensopado?

## Para a tampa de massa folhada:

*500 g de massa folhada • Farinha sem fermento para polvilhar • 1 ovo grande, de preferência caipira ou orgânico • Uma borrifada de leite*

Preaqueça o forno a 180°C • Transfira o ensopado pronto para uma assadeira grande de torta e deixe-o esfriar completamente • Retire a massa folhada da geladeira 10 minutos antes de abri-la • Enfarinhe a superfície de trabalho e o rolo de macarrão e abra a massa folhada até que ela fique com a espessura de 3 mm e larga o suficiente para cobrir a sua travessa • Quebre o ovo em uma tigela pequena, adicione uma borrifada de leite e bata com um garfo • Pincele a borda da assadeira com um pouco dessa mistura de ovos com leite • Enrole a massa ao redor do rolo de macarrão, depois desenrole-a sobre a assadeira (não se preocupe se ela quebrar ou rasgar, apenas remende-a e continue cobrindo) • Passe uma faca pela beirada da assadeira para aparar o excesso de massa • Com um garfo, pressione levemente a massa ao redor da beirada da assadeira para deixá-la "plissada" • Pincele o topo da torta com um pouco mais da mistura de leite • Com a ponta de uma faca, faça um buraco no centro da massa para deixar o vapor sair • Asse na prateleira mais baixa do forno por 40 minutos, ou até que a massa esteja dourada e crocante

# Ou servi-lo com adoráveis bolinhos de massa?

## Para os bolinhos de massa:

*250 g de farinha com fermento • 125 g de manteiga bem gelada • Sal marinho e pimenta-do-reino moída na hora*

Preaqueça o forno a 190°C • Coloque a farinha em uma tigela • Com um ralador grosso, rale a manteiga gelada dentro da farinha • Adicione uma pitada de sal e pimenta-do-reino • Com os dedos, esfregue gentilmente a manteiga na farinha até que ela comece a se parecer com migalhas de pão • Adicione uma borrifada de água gelada para dar liga à mistura e transformá-la em uma massa • Divida a massa em 12 pedaços e gentilmente enrole cada um deles para formar bolinhos redondos • Coloque os bolinhos sobre o ensopado pronto e pressione-os ligeiramente para baixo de modo que eles fiquem meio submersos • Cozinhe no forno ou em fogo médio, com a panela tampada, por 30 minutos

# Ou transformá-lo em um tipo de cozido?

## Para a cobertura do cozido:

*600 g de batatas médias • Sal marinho e pimenta-do-reino moída na hora • Óleo de oliva e uma bolota de manteiga
• Alguns ramos de tomilho fresco*

Preaqueça o forno a 190° C • Encha uma assadeira grande com o ensopado pronto • Descasque as batatas e coloque-as em uma panela de água salgada fervente e deixe cozinhar por 10 minutos • Escorra-as e deixe que esfriem ligeiramente por uns 5 minutos • Corte as batatas ao comprido em fatias com 1 cm de espessura e acomode-as por cima de seu ensopado • Regue com um pouco de óleo de oliva ou derreta a manteiga e pincele-a sobre as batatas • Destaque as folhas de tomilho dos ramos e espalhe-as sobre as batatas com uma pitada de sal e pimenta • Cozinhe no forno por 40 minutos

# Ou transformá-lo em uma espécie de torta de batata?

## Para a cobertura de batata amassada:

*I kg de batatas • Uma borrifada de leite • Uma bolota grande de manteiga • Sal marinho e pimenta-do-reino moída na hora • Alguns galhos de alecrim fresco • Óleo de oliva*

Preaqueça o forno a 190°C • Encha uma assadeira grande com o ensopado pronto • Descasque as batatas, corte-as ao meio e coloque-as em uma panela de água salgada fervente e deixe cozinhar por cerca de 10 minutos ou até que fiquem tenras • Enfie a ponta de uma faca para checar se elas estão completamente cozidas • Passe-as por um escorredor e coloque-as de volta na panela • Adicione o leite, a manteiga e uma pitada de sal e pimenta-do-reino • Amasse tudo até obter um purê cremoso, adicionando mais uma borrifada de leite se necessário • Cubra o ensopado com as batatas amassadas • Regue a torta com um pouco de óleo de oliva, cobrindo-a ligeiramente com folhas de alecrim • Cozinhe no forno por 25 minutos

# Assados da família

Se você nunca experimentou assar um frango inteiro, uma perna de cordeiro ou uma peça de carne de boi, está perdendo o que talvez seja um dos melhores pratos sociais, porque todo mundo adora um assado para o jantar, mesmo as crianças e os adolescentes mais difíceis e os amigos mais exigentes. Tradicionalmente o assado costuma ser preparado no fim de semana e, até uns vinte ou trinta anos atrás, a ave ou o pedaço de carne assada era algo que as pessoas planejavam e aguardavam como grande prazer.

Ainda que a comida tenha se tornado mais barata, comprar um bom pedaço de carne para assar continua custando algum dinheiro, especialmente se você comprar uma carne de qualidade (provavelmente terá de visitar supermercados ou o açougueiro local para achar a boa carne de porco ou de boi). Por isso, o medo de arruinar essa carne errando seu preparo causará uma pressão extra, mais que em qualquer outra receita. Entretanto, um assado doméstico tradicional correto é um milhão de vezes melhor do que um frango assado de supermercado, batatas pré-assadas congeladas ou um assado de micro-ondas. Por isso, vou tentar fazer com que você prepare alguns dos mais memoráveis assados que serão servidos a você, sua família e seus amigos por muitos anos felizes! Ah, e não se esqueça, você pode assar um enorme frango caipira, com todas as suas partes, por menos do que custaria um daqueles embrulhos engordurados de frango frito comprados por aí.

Para mim, o que torna o assado uma das coisas mais importantes a se aprender é que ele é feito para servir à família inteira ou a um grupo de amigos. Se você conseguir dominar o preparo e oferecer um pedaço de carne suculento, nem seco nem muito cozido, com batatas assadas coradas e um toque de alecrim, o resto é história. Apresento também uma página de molhos rápidos, mas deliciosos – de maçã, pão, raiz-forte e hortelã –, que deixarão seus convidados de queixo caído.

# CARNE ASSADA PERFEITA

Usei uma peça de lagarto bovino aqui, mas você pode utilizar também costela de boi. A carne deve descansar depois de cozida por pelo menos meia hora e ser fatiada muito finamente para que você aprecie a maciez. Os tempos abaixo podem ser diferentes, dependendo do tipo de forno utilizado ou do tamanho da peça de carne.

## para 4–6 pessoas

1,5 kg de lagarto de boi
2 cebolas médias
2 cenouras
2 talos de salsão (aipo)

I cabeça de alho
um maço pequeno de tomilho, alecrim, sálvia ou
    louro (tudo fresco) ou uma mistura dessas ervas
óleo de oliva
sal marinho e pimenta-do-reino moída na hora

### Para preparar a carne de boi

Retire a carne da geladeira 30 minutos antes de levá-la ao forno, que deverá estar preaquecido a 240°C • Não há necessidade de descascar os vegetais – apenas lave-os e pique-os grosseiramente • Separe os dentes da cabeça de alho, sem descascá-los • Coloque todos os vegetais, o alho e as ervas no centro de uma assadeira larga e regue com o óleo de oliva • Regue e esfregue a carne com óleo de oliva, juntamente com o sal e a pimenta-do-reino • Acomode a carne sobre os vegetais

### Para cozinhar

Coloque a assadeira no forno preaquecido • Baixe o fogo imediatamente para 200C° e cozinhe por I hora para obter uma carne ao ponto • Se preferir que fique quase malpassada, retire-a 5 ou 10 minutos antes • Para uma carne bem-passada, deixe-a por mais 10 ou 15 minutos • Se você for preparar batatas e vegetais assados, agora é a vez deles (veja página 202) – leve-os ao forno durante a última hora de cozimento • Regue a carne durante metade do tempo de cozimento e, se os vegetais parecerem secos, adicione uma borrifada de água à assadeira • Quando a carne estiver assada ao seu gosto, retire a assadeira do forno, ponha a carne em uma tábua, cubra-a com uma camada de papel-alumínio e um pano de prato e deixe-a descansar enquanto você prepara o molho de carne (veja página 205), o molho de raiz-forte (veja página 210) e os yorkshire puddings (veja página 209)

### Para cortar a carne

Remova o barbante da carne • Utilize uma boa faca longa e afiada para trinchar a carne e um garfo (de preferência um garfo de trinchar) para segurá-la firmemente • Sirva com o molho de carne bem quente, o molho de raiz-forte, os vegetais assados e os yorkshire puddings

# PORCO ASSADO PERFEITO

O lombo de porco virá de um jeito ou de outro, com ou sem o osso. Não importa como, vai dar certo. Mas se ele estiver com os ossos, você terá de cozinhar por mais 20 minutos. Será preciso uma faca bem afiada para fazer talhos na capa de gordura (ou peça ao seu açougueiro para fazer isso para você).

## para 4–6 pessoas

1 lombo de porco de aproximadamente 1,8 kg
   com os ossos (ou um lombo desossado com
   1,4 kg), de preferência caipira ou orgânico
2 cebolas médias
2 cenouras

2 talos de salsão (aipo)
1 cabeça de alho
um maço pequeno de tomilho, alecrim, louro ou
   sálvia (tudo fresco), ou uma mistura dessas ervas
óleo de oliva
sal marinho e pimenta-do-reino moída na hora

## Para preparar o lombo de porco

Retire o lombo da geladeira 30 minutos antes de levá-lo ao forno, que deverá ser preaquecido a 240°C • Não há necessidade de descascar os vegetais – apenas lave-os e pique-os grosseiramente • Divida a cabeça de alho em dentes, sem descascá-los • Coloque todos os vegetais, o alho e as ervas no centro de uma assadeira larga e regue com o óleo de oliva • Com uma faca de cozinha bem afiada, faça marcas por toda a pele da carne em intervalos de 1 cm (se o açougueiro já não tiver feito isso) – certifique-se de que você só está cortando o couro e a capa de gordura e não a carne por baixo • Regue o lombo com óleo de oliva e tempere bem com sal e pimenta-do-reino, pressionando os temperos para dentro dos talhos e esfregando-os por toda a carne • Acomode a carne sobre os vegetais na assadeira

## Para cozinhar

Coloque a assadeira no forno preaquecido • Abaixe o fogo imediatamente para 200°C e cozinhe por 1 hora e 20 minutos – se a carne estiver com os ossos, adicione mais 20 minutos • Se quiser preparar batatas e vegetais assados (veja página 202), leve-os ao forno durante a última hora de cozimento • Regue a carne durante metade do tempo de cozimento e, se os vegetais parecerem secos, adicione uma borrifada de água à assadeira • Quando o lombo estiver assado ao seu gosto, retire a assadeira do forno, transfira a carne para uma tábua e deixe-a descansando • Como está a aparência do couro? Se não parecer crocante o suficiente, utilize uma faca afiada para retirá-lo da camada de gordura e da carne • Coloque-o em outra assadeira na prateleira mais alta do forno ou sob uma grelha por 5 a 10 minutos, ou até que fique dourado e crocante • Cubra a carne com uma camada de papel-alumínio e um pano de prato e deixe-a reservada enquanto você prepara o molho de carne (veja página 205) e o molho de maçã (veja página 210)

## Para cortar

Se o couro ainda estiver preso à peça de carne, use uma faca afiada para retirá-lo • Se o pedaço de lombo estiver com os ossos, corte-o em costeletas individuais • Se for um pedaço sem osso, segure firmemente a peça com um garfo de trinchar e corte-a em fatias finas ou grossas • Acomode a carne em uma grande travessa com todo o torresmo • Sirva com o molho de carne bem quente, o molho de maçã e os vegetais assados

# FRANGO ASSADO PERFEITO

Depois de tudo o que aprendi sobre frangos nos últimos anos, é claro que sugiro comprar frango orgânico ou caipira.

**para 4–6 pessoas**

1 frango de aproximadamente 1,6 kg, de
    preferência caipira ou orgânico
2 cebolas médias
2 cenouras
2 talos de salsão (aipo)

1 cabeça de alho
óleo de oliva
sal marinho e pimenta-do-reino moída na hora
1 limão-siciliano
um maço pequeno de tomilho, alecrim, louro ou
    sálvia (tudo fresco), ou uma mistura dessas ervas

### Para preparar o frango

Retire o frango da geladeira 30 minutos antes de levá-lo ao forno, que deverá estar preaquecido a 240°C • Não há necessidade de descascar os vegetais – apenas lave-os e pique-os grosseiramente • Separe os dentes de alho, sem descascá-los • Coloque todos os vegetais, o alho e as ervas no centro de uma assadeira larga e regue com o óleo de oliva • Regue o frango com óleo de oliva e tempere bem com sal e pimenta-do-reino, esfregando os temperos por toda a ave • Cuidadosamente, faça furos por todo o limão com a ponta de uma faca afiada (se tiver um micro-ondas, você pode aquecer o limão nele por 40 segundos, o que intensificará todos os sabores) • Coloque o limão dentro da cavidade do frango, com o maço de ervas

### Para cozinhar

Coloque o frango sobre os vegetais na assadeira e leve ao forno preaquecido • Abaixe o fogo imediatamente para 200°C e cozinhe o frango por 1 hora e 20 minutos • Se você quiser preparar batatas e vegetais assados (veja página 202), leve-os ao forno durante a última hora de cozimento • Regue o frango durante metade do tempo de cozimento e, se os vegetais parecerem secos, adicione uma borrifada de água à assadeira • Quando o frango estiver assado, retire a assadeira do forno e coloque-o em uma tábua • Cubra-o com uma camada de papel-alumínio e um pano de prato e deixe-o descansar por 15 minutos enquanto você prepara o molho de carne (veja página 205) e o molho de pão (veja página 210)

### Para cortar

Remova qualquer barbante usado para amarrar o frango e destaque as asas (arranque-as e adicione ao molho de carne para obter um sabor mais intenso) • Corte cuidadosamente entre as pernas e o peito • Corte através de toda a carne e arranque a perna • Repita o procedimento do outro lado, depois corte cada perna entre a coxa e a sobrecoxa de modo que você terminará com quatro porções de carne escura • Acomode-as sobre uma travessa • Agora você deve ter um espaço livre para trinchar o restante do seu frango • Passe a faca obliquamente sobre o osso do peito e corte um dos lados, depois faça o mesmo com o outro lado • Quando chegar às partes mais complicadas, use os dedos para arrancar toda a carne, e vire o frango ao contrário para pegar os pedaços suculentos e saborosos que estão por baixo • O resultado será uma carcaça limpa e uma travessa repleta de carne adorável, que poderá ser servida com o molho de carne bem quente, os vegetais assados e o molho de pão

## TRACEY FEARN
SUPERVISORA DE VENDAS

## ANDY PICKERSGILL
CONSULTOR DE VENDAS

Estamos tentando fazer nossas crianças comerem de modo mais saudável e nos passaram um punhado de receitas que funcionaram bem com elas. Foi assim que começamos a cozinhar pratos que as crianças amaram. Agora, já preparamos até o nosso próprio assado de domingo.

# CORDEIRO ASSADO PERFEITO

Assar uma perna de cordeiro é um sonho. Existem diferentes tamanhos de perna de cordeiro, portanto será preciso dizer ao seu açougueiro para quantas pessoas você vai cozinhar. Serão necessários cerca de 300 g com o osso por pessoa.

**para 4–6 pessoas**

*1 perna de cordeiro de aproximadamente 2 kg*
*2 cebolas médias*
*2 cenouras*
*2 talos de salsão (aipo)*

*1 cabeça de alho*
*óleo de oliva*
*sal marinho e pimenta-do-reino moída na hora*
*um maço pequeno de tomilho, alecrim, louro ou*
*    sálvia (tudo fresco), ou uma mistura dessas ervas*

### Para preparar o cordeiro

Retire o cordeiro da geladeira 30 minutos antes de levá-lo ao forno, que deverá ser preaquecido a 240°C • Não há necessidade de descascar os vegetais, apenas lave-os e pique-os grosseiramente • Separe os dentes de alho, sem descascá-los • Coloque todos os vegetais, o alho e as ervas no centro de uma assadeira larga e regue com o óleo de oliva • Regue o cordeiro com óleo de oliva e tempere bem com sal e pimenta-do-reino, esfregando os temperos por toda a carne • Acomode o cordeiro sobre os vegetais

### Para cozinhar seu cordeiro

Leve a assadeira ao forno preaquecido • Baixe o fogo imediatamente para 200°C e asse por 1½ hora • Se você quiser preparar batatas e vegetais assados (veja página 202), leve-os ao forno durante a última hora de cozimento • Regue o cordeiro durante metade do tempo que ficar no forno e, se os vegetais parecerem secos, adicione uma borrifada de água à assadeira • Quando o cordeiro estiver assado ao seu gosto, retire a assadeira do forno, coloque-o em uma tábua • Cubra-o com uma camada de papel-alumínio e um pano de prato e deixe-o descansar enquanto você prepara o molho de carne (veja página 205) e o molho de hortelã (veja página 210)

### Para cortar

Eu não acho que exista um modo correto ou errado de trinchar um cordeiro • Embrulhe a extremidade do osso com um pano de prato limpo e segure-o firmemente • Com uma faca afiada, corte a carne de modo que você fique com boas fatias transversais • Quando chegar ao osso, apenas gire a perna de cordeiro e comece a cortar de novo • Acomode toda a carne cortada em uma travessa e sirva com o molho quente de carne, o molho de hortelã e os vegetais assados

# BATATAS, CHIRIVIAS E CENOURAS ASSADAS

Uma boa batata assada é uma das coisas mais importantes da culinária. Como um simples e modesto vegetal pode deixar as pessoas tão felizes? Experimente esta receita – você terá batatas perfeitamente crocantes por fora e macias por dentro. O processo de cozinhá-las parcialmente em água fervente, depois misturá-las em óleo temperado e assá-las até que fiquem douradas e crocantes, é o mesmo para qualquer outro vegetal, particularmente chirivias (ou pastinacas, parecidas com uma cenoura branca, dificilmente encontrada no Brasil – N. do T.) e cenouras, por isso eu as incluí também nesta receita.

## para 4–6 pessoas

1,2 kg de batatas

6 chirivias (se não encontrar, use
  mandioquinha, a batata-baroa)

6 cenouras

1 cabeça de alho

3 ramos de alecrim fresco

sal marinho e pimenta-do-reino moída na hora

óleo de oliva

## Para preparar os vegetais

Se você estiver preparando os vegetais separadamente e não como parte de uma das carnes deste capítulo, preaqueça o forno a 200°C • Descasque os vegetais e divida os maiores ao comprido • Divida a cabeça de alho em dentes, sem descascá-los, e esmague-os ligeiramente com a palma da mão • Destaque as folhas de alecrim dos ramos

## Para cozinhar

Coloque as batatas e as cenouras em uma panela grande – provavelmente você terá de usar duas – de água salgada fervente sobre fogo alto e mantenha a fervura por 5 minutos • Acrescente as chirivias e cozinhe por mais 4 minutos • Escorra os vegetais e deixe que sequem no vapor da água do cozimento • Retire as cenouras e as pastinacas e reserve • Amacie as batatas no escorredor, sacudindo-as um pouco – é importante fazer isso para que as batatas fiquem com todos aqueles pedaços crocantes depois de assadas • Coloque uma assadeira grande em fogo médio e regue com alguns fios de óleo de oliva ou com colheradas de um pouco da gordura da carne que você está preparando • Adicione o alho e as folhas de alecrim • Coloque os vegetais na assadeira com uma boa pitada de sal e pimenta e mexa-os bem para que fiquem cobertos de tempero • Espalhe-os uniformemente em uma camada – isso é importante, para que assem e não cozinhem no vapor como aconteceria se ficassem amontoados • Leve-os ao forno preaquecido por cerca de 1 hora, ou até que fiquem dourados e crocantes • Sirva imediatamente com o seu assado e o molho de carne (veja página 205)

# UM MOLHO MUITO BOM

Existem duas coisas que fazem um bom molho de carne: uma "cama" de vegetais, que é a camada de vegetais no fundo da assadeira sobre a qual vai a carne, e os sucos de um pedaço de carne assada de boa qualidade.

Se você usar uma "cama" de vegetais e comprar uma carne de boa qualidade, o molho terá sempre um sabor divino, quer utilize água ou algum caldo de carne ou vegetais. Siga o meu método para preparar este molho de carne e você não se arrependerá.

### para 4–6 pessoas

Assim como os vegetais assados (listados em
  cada receita de carne), você deverá ter à mão:
I colher (sobremesa) de farinha sem fermento

*uma taça (vinho) de vinho tinto, vinho branco ou*
  *cidra, ou uma dose de vinho do Porto ou xerez*
*I litro de caldo de carne, galinha ou*
  *vegetais, de preferência orgânico*

### Para preparar o molho

Quando você precisar abrir nesta página, a carne já estará coberta e descansando e haverá uma assadeira com os sucos da carne e uma camada de vegetais diante de você • Com uma colher, remova cuidadosamente 90% da gordura quente da assadeira • Coloque a assadeira de novo sobre a chama alta do fogão • Adicione a farinha, mexendo-a por toda a superfície e, segurando firmemente a assadeira com um pano de prato em uma das mãos, esmague todos os vegetais com um amassador de batatas (ou outro utensílio adequado à operação) até obter uma massa – não se preocupe se ela ficar granulosa • Se estiver preparando molho de frango, você poderá arrancar as asas do frango e desmanchá-las dentro dele para reforçar mais o sabor • Quando tudo estiver esmagado e misturado, acrescente a bebida para dar um pouco de aroma antes de adicionar o caldo (o álcool evaporará) • Mantenha no fogo e deixe ferver por alguns minutos • Despeje o caldo dentro da assadeira ou adicione I litro de água quente • Deixe tudo ferver, raspando sempre a polpa dos vegetais amassados depositada no fundo da assadeira • Baixe a chama e cozinhe em fogo brando por 10 minutos ou até que o molho chegue à consistência desejada

### Para servir

Pegue uma tigela, uma panela ou um jarro e cubra com uma peneira grossa • Despeje o molho sobre a peneira, pressionando-o com uma concha para que toda a polpa a atravesse • Descarte os vegetais ou pedaços de carne que restarem • Nesse momento, você terá um molho excelente e poderá servi-lo imediatamente ou colocá-lo de volta no fogo para cozinhar lentamente e engrossar • Dependendo do tipo de carne que estou servindo, eu adiciono I colher (chá) de raiz-forte, mostarda, molho de maçã, geleia de hortelã, de groselha ou de *cranberry* ao molho – você não precisa fazer isso necessariamente, mas acho que se cria um sabor complementar que é brilhante

# DELICIOSO RECHEIO DE SÁLVIA E CEBOLA

Esta é uma receita clássica que gosto de preparar em vasilha refratária, para que o recheio fique crestado nas laterais e na superfície. Obviamente que quanto melhores o pão e a carne da linguiça, melhor será o resultado. Alguns ingredientes extras como castanhas e frutas secas adicionam texturas e sabores. Combina com qualquer tipo de carne assada, e as sobras vão bem em sanduíches frios de carne.

Comece a preparar este recheio assim que a carne for ao forno, para que haja tempo para a mistura esfriar completamente antes de ser adicionada a carne da linguiça. Antes de servir, cozinhe no forno por 50 minutos.

## para 4–6 pessoas

*3 cebolas médias*
*um maço de sálvia fresca*
*½ pão de forma não fatiado amanhecido*
*óleo de oliva*
*opcional: um punhado de castanhas, assadas*

*e descascadas, ou um punhado de frutas*
*secas como damascos ou cerejas*
*750 g de carne de linguiça de boa qualidade,*
*de preferência caipira ou orgânica*
*sal marinho e pimenta-do-reino moída na hora*

### Para preparar o recheio
Preaqueça o forno a 200°C • Descasque, corte ao meio e pique grosseiramente as cebolas • Destaque as folhas de sálvia dos ramos e fatie-as grosseiramente • Retire a casca do pão e descarte-a, depois rasgue-o em pedaços grossos • Encha uma tigela com água fria

### Para cozinhar
Coloque uma panela grande em fogo médio e adicione 2 fios de óleo de oliva • Acrescente as cebolas e cozinhe por 7 a 10 minutos, até que fiquem tenras e douradas • Adicione a sálvia e misture • Pegue punhados de pão e molhe na tigela com água • Esprema bem para retirar o excesso de água, depois adicione-o à panela, mexendo e desfazendo todos os pedaços maiores com uma colher de pau • Deixe cozinhar por alguns minutos • Acrescente, então, todos os ingredientes extras, as castanhas assadas, grosseiramente picadas, ou frutas secas picadas • Retire a panela do fogo, transfira o recheio para uma tigela grande e reserve para que esfrie completamente • Depois adicione a carne de linguiça, misture e tempere bem com pimenta-do-reino e sal. Se quiser congelar o recheio, é a hora de embalá-lo • Se for cozinhar imediatamente, coloque-o em uma vasilha refratária untada com óleo e asse-o na prateleira mais baixa do forno preaquecido por 50 minutos, ou até que esteja realmente dourado e crestado por cima • Sirva com a carne assada, os legumes (veja página 202) e o molho (veja página 205)

# YORKSHIRE PUDDINGS

Tradicionalmente nós britânicos jantamos *yorkshire puddings* com carne assada, mas você pode apreciá-los de diversas formas. Experimente com cebola e molho de carne, ou prepare um maior com linguiças para fazer um *toad-in-the-hole* (prato tradicional inglês em que a linguiça é assada dentro de massa – N. do T.). E, acredite se quiser, também fica bom com frutas, como um doce. O segredo é prepará-los em um forno bem quente, mantendo a porta fechada.

**faz 12 unidades**

*3 ovos, de preferência caipiras ou orgânicos*
*115 g de farinha sem fermento*

*uma pitada de sal marinho*
*285 ml de leite*
*óleo vegetal*

## Para preparar o yorkshire

Para fazer a massa, bata bem os ovos, a farinha, o sal e o leite juntos em uma tigela • Despeje a massa em uma jarra e deixe-a descansando por 30 minutos antes de usá-la, o que a deixará mais macia, e os *puddings*, maravilhosamente leves e crestados

## Para cozinhar

Preaqueça o forno completamente na temperatura mais alta • Enquanto ele estiver esquentando, ponha uma assadeira de bolinhos sobre uma assadeira normal e acomode-as na prateleira mais alta do forno • Quando o forno estiver na temperatura mais alta possível, remova cuidadosamente as assadeiras, feche a porta do forno e coloque 1 colher (sopa) de óleo vegetal em cada buraco de bolinho da assadeira • Leve as assadeiras de volta ao forno por 5 minutos • Abra a porta do forno e deslize metade da prateleira com as assadeiras para fora • Encha rapidamente cada buraco de bolinho com a massa, depois deslize a prateleira de volta para dentro do forno • Mantenha a porta do forno fechada por pelo menos 15 minutos, e não abra nem para checar como os *yorkshires* estão, senão eles murcham • Após 15 minutos, eles estarão crestados e dourados, com um miolo macio e fofo, do jeito que eu gosto • Se você os preferir completamente tostados, abaixe o forno para 150°C e asse por mais 10 minutos • Remova a assadeira do forno assim que os *puddings* ficarem crescidos e estiverem crestados e dourados • Sirva-os o mais rápido possível com a carne assada e o molho... ou com qualquer outra coisa que preferir

P.S. Não lave a assadeira de bolinhos, apenas seque-a com toalha de papel – se você reservá-la apenas para assar *yorkshire puddings*, a superfície antiaderente ficará melhor a cada vez que você prepará-los, e os *puddings* crescerão mais

# MOLHOS PARA ASSADOS

## Molho de maçã para 4–6 pessoas

*2 maçãs boas para comer e 1 maçã para cozinhar / ½ laranja / uma bolota de manteiga / 50 g de açúcar / ¼ de colher (chá) de canela em pó / ¼ de uma noz-moscada / ¼ de colher (chá) de cravos-da-índia moídos*

Descasque a maçã, elimine a parte central e pique-a em pedaços de cerca de 2,5 cm • Rale a casca de metade da laranja sobre uma pequena panela e esprema o suco ali • Adicione a manteiga, o açúcar e a canela em pó • Rale a noz-moscada por cima e acrescente os cravos-da-índia moídos • Coloque a panela em fogo baixo e deixe que a manteiga derreta • Mexa até que a manteiga fique espumante, depois acrescente os pedaços de maçã e misture • Tampe a panela e cozinhe por 20 a 25 minutos em fogo de médio a baixo, mexendo ocasionalmente até obter um molho macio e com pedaços • Nesse momento, prove e adicione um pouco mais de açúcar se achar necessário • Sirva o molho de maçã quente ou frio – é delicioso dos dois jeitos!

## Molho de raiz-forte
### para 4–6 pessoas

*4 colheres (sopa) de raiz-forte fresca ralada ou 1 colher (sopa) de raiz-forte picante / 1 limão-siciliano / 5 colheres (sopa) de crème fraîche / óleo de oliva extravirgem / sal marinho e pimenta-do-reino moída na hora*

Coloque a raiz-forte em uma tigela pequena • Rale finamente a casca do limão por cima, depois corte-o ao meio e esprema o suco dentro da tigela • Adicione o *crème fraîche*, regue generosamente com óleo de oliva e tempere com uma pitada de sal e pimenta-do-reino • Misture bem, prove e adicione mais raiz-forte e tempero se achar necessário

## Molho de pão para 4–6 pessoas

*½ cebola média / 500 ml de leite / 2 folhas de louro / 2 cravos-da-índia / 6 fatias de um bom pão amanhecido / ½ colher (chá) de mostarda inglesa / sal marinho e pimenta-do-reino moída na hora*

Descasque e pique finamente a metade de cebola • Coloque uma panela pequena em fogo baixo com o leite, as folhas de louro e os cravos-da-índia • Cozinhe em fogo brando por 10 minutos, depois remova e descarte as folhas de louro e os cravos-da-índia • Elimine as cascas do pão, coloque-o na panela e cozinhe em fogo brando por 5 minutos, até que absorva todo o leite e amoleça • Mexa de vez em quando • Acrescente a mostarda e tempere a gosto com sal e pimenta-do-reino • O molho finalizado deve ter uma consistência solta de mingau • Você pode cozinhá-lo mais um pouco em fogo brando para engrossá-lo, ou acrescentar um pouco de água para diluí-lo

## Molho de hortelã
### para 4–6 pessoas

*um punhado de folhas de hortelã fresca / 20 g de açúcar granulado / 2 colheres (sopa) de vinagre de vinho tinto / sal marinho e pimenta-do-reino moída na hora*

Pique finamente as folhas de hortelã e coloque-as em uma tigela • Dissolva o açúcar em 100 ml de água fervente e despeje sobre a hortelã • Acrescente o vinagre – o que dará um ótimo toque ácido ao molho e o deixará mais solto • Adicione uma pitada de sal e pimenta-do-reino a gosto e equilibre o sabor acrescentando mais um toque de açúcar ou vinagre

# Vegetais deliciosos

Todo este capítulo é sobre como fazer os vegetais ficarem deliciosos. Foi especialmente criado para quem pensa que os odeia – eu prometo que vocês vão adorar estas receitas. Nestes últimos anos, tenho conversado muito com pessoas que me dizem não suportar comer vegetais. Levo apenas uns dez segundos até descobrir a razão, e nunca me surpreendo. Na grande maioria das vezes, os vegetais são fervidos até ficarem completamente encharcados e moles, e depois servidos sem qualquer molho ou tempero. Desse modo, algo essencial é ignorado – os vegetais, como uma boa salada, por exemplo, precisam ser temperados com sabores fantásticos.

Este capítulo é composto de doze receitas. Todas elas estão no meu coração, pois são aquelas que gosto de preparar sempre que estou em casa.

Atualmente ouvimos inúmeras mensagens que defendem o consumo de cinco vegetais ao dia, e ditam o que devemos e o que não devemos comer. Mas acho que você deveria ter *vontade* de comer saladas e vegetais, e não pensar que *tem* de fazer isso. E se você é uma daquelas muitas pessoas que fervem os vegetais até a textura, a cor e o sabor desaparecerem, não deixe de experimentar estas receitas.

# CENOURAS ASSADAS *IN CARTOCCIO*

**para 4–6 pessoas**

Preaqueça o forno a 200°C • Descasque 800 g de **cenouras** • Deixe-as inteiras se forem pequenas, mas pique as maiores • Pegue uma folha de papel-alumínio com cerca de 60 cm, dobre-a ao meio para deixar um vinco e depois abra de novo • Amontoe as cenouras no centro de um dos lados do papel-alumínio vincado • Fatie finamente 1 tira de **bacon defumado** • Destaque as folhas de 2 ramos de **alecrim fresco** e pique finamente • Descasque 1 dente de **alho** e fatie também finamente • Espalhe o *bacon*, o alecrim e o alho sobre as cenouras • Rale a casca de ½ **laranja** por cima e adicione 1 colher (chá) de **geleia de laranja**, 2 bolotas de **manteiga** e uma pitada de **sal e pimenta-do-reino** • Dobre a outra metade do papel-alumínio sobre as cenouras, enrole e comprima as extremidades do papel, fechando dois lados do cartucho e deixando um aberto • Corte a laranja ao meio e esprema todo o suco dentro do cartucho, feche a última extremidade e acomode-o sobre uma assadeira no forno preaquecido por cerca de 50 minutos • Para servir, despeje cuidadosamente as cenouras e todo o caldo em uma grande travessa

# ASPARGOS TEMPERADOS

**para 4–6 pessoas**

Ponha uma chaleira com água para ferver • Pegue 500 g de **aspargos** e dobre a base de cada talo para descartar as extremidades mais duras, ficando assim com as partes tenras • Despeje a água fervente da chaleira em uma panela e adicione 1 colher (chá) de **sal** e todos os aspargos • Tampe a panela, deixe fer-ver de novo e cozinhe por 1 a 2½ minutos, dependendo da espessura dos aspargos • Coloque 3 colheres (sopa) de **óleo de oliva extravirgem**, 1 colher (chá) de **mostarda Dijon**, 1 colher (sopa) de **vinagre de vinho tinto** e uma pitada de **salsa** picada em uma tigela e misture acrescentando uma pitada de sal e **pimenta-do-reino** • Escorra os aspargos, acomode-os em uma travessa e regue-os com o vinagrete, cobrindo todos eles

## CLAIRE HALLAM
### MÃE EM PERÍODO INTEGRAL

Eu só sabia preparar *nuggets* de frango, feijões pré-cozidos – basicamente qualquer coisa já semiacabada – para os meus filhos. Então resolvi aprender a cozinhar para eles e para mim. Recebi uma pilha de receitas, mas nunca imaginei que um dia gostaria de comer aspargo. Achava que era apenas mais uma planta que crescia no jardim, mas é adorável – eu realmente gosto!

# AS MELHORES BATATAS NOVAS

**para 4–6 pessoas**

Pegue 800 g de **batatas novas** • Você pode ou não manter as cascas, já que elas são cheias de vitamina C • Ponha água fervente de uma chaleira até a metade de uma panela larga e adicione uma pitada de **sal** • Acrescente as batatas e ferva-as rapidamente por 10 a 15 minutos • Espete uma delas com a faca para testar se estão cozidas • Coloque-as em um escorredor, transfira-as para uma tigela grande com 3 bolotas de **manteiga** e tempere bem com sal e **pimenta-do-reino** • Destaque as folhas de 4 a 5 ramos de **hortelã fresca** e pique-as finamente • Acrescente a hortelã à tigela, esprema por cima o suco de 1 **limão** e misture bem antes de servir • O que sobrar pode ser servido frio como salada ou asse em forno bem quente até dourar e crestar

# ESPINAFRE NA MANTEIGA

**para 4–6 pessoas**

Preaqueça um *wok* (espécie de frigideira chinesa em formato de bacia – N. do T.) ou a panela mais larga que tiver até ficar bem quente • Lave e escorra 500 g de **espinafre** • Descasque e fatie finamente 2 dentes de **alho** • Incline a panela e adicione um fio de óleo de oliva, seguido imediatamente pelo alho • Dê uma sacudida na panela para que o alho frite uniformemente • Quando ele estiver ligeiramente dourado, adicione o espinafre e misture tudo rapidamente, usando um par de pinças de cozinha • Tempere com uma pitada de **sal e pimenta-do-reino** • Em apenas 1 minuto o espinafre murchará – você ficará impressionado como isso acontece tão rapidamente! Transfira-o para um escorredor e deixe sair todo o excesso de água • Leve a panela de volta ao fogo com 2 bolotas de **manteiga** • Assim que a manteiga começar a borbulhar, devolva o espinafre à panela e esprema o suco de 1 **limão** por cima • Mexa, prove e adicione mais sal e pimenta-do-eino se achar necessário. Sirva imediatamente

# BRÓCOLIS COM MOLHO ASIÁTICO

**para 4–6 pessoas**

Pegue cerca de 600 g de **brócolis ou de broto de brócolis roxo** • Aqueça uma panela para cozimento a vapor ou coloque uma panela larga de água para ferver • Quebre os brócolis em pequenos pedaços e fatie os talos • Acomode-os na panela a vapor ou dentro de um escorredor colocado sobre a panela de água fervente e cubra com uma tampa justa ou com papel-alumínio • Cozinhe no vapor por cerca de 6 minutos, ou até que os talos fiquem tenros • Enquanto isso prepare o molho • Descasque um pedaço de **gengibre fresco** do tamanho de um polegar e um dente de **alho** e rale-os dentro de uma tigela • Corte uma **pimenta vermelha fresca** ao meio, retire as sementes, pique-a finamente e adicione à tigela • Misture com 1 colher (sopa) de **óleo de gergelim**, 3 colheres (sopa) de **óleo de oliva extravirgem,** 1 colher (sopa) de **molho de soja** (*shoyu*) e o suco de **1 limão taiti** • Regue com 1 colher (chá) de **vinagre balsâmico** • Bata o molho e prove • O que você procura é um equilíbrio de sabores entre o salgado do molho de soja, a doçura do vinagre balsâmico, a acidez do limão taiti e o picante da pimenta • Quando os brócolis estiverem cozidos, transfira-os para uma travessa • Misture o molho uma última vez antes de regar os brócolis • Absolutamente divino!

# ERVILHAS COM HORTELÃ

**para 4–6 pessoas**

Apare e fatie finamente 2 **cebolinhas verdes** • Lave e fatie finamente 1 **alface lisa** ou 2 **alfaces-romanas baby** • Coloque as cebolinhas verdes em uma panela com 2 generosas bolotas de **manteiga** • Refogue por cerca de 1 minuto, depois misture com 2 colheres (chá) de **farinha sem fermento** • Acrescente 600 g de **ervilhas congeladas ou frescas** e a alface • Despeje 100 ml de água • Esmigalhe 1 cubo de **caldo de frango ou de vegetais**, misture e cozinhe em fogo brando por 5 minutos • Tempere com uma boa pitada de **sal e pimenta-do-reino** • Destaque as folhas de 4 ramos de **hortelã fresca**, pique-as finamente e misture com as ervilhas

# AS MELHORES VAGENS

**para 4–6 pessoas**

Disponha 600 g de **vagens francesas** em fileira sobre uma tábua de picar • Corte fora as bases das vagens, mantendo as extremidades finas – elas são lindas! Coloque-as dentro de uma panela grande de água fervente com uma pitada de **sal** e cozinhe por cerca de 6 minutos • Experimente uma – se estiver macia e não borrachuda, estão prontas • Passe-as pelo escorredor, reservando um pouco da água do cozimento, depois deixe que sequem • Descasque e fatie 3 dentes de **alho** • Rale finamente 150 g de **queijo parmesão** • Coloque a panela de volta no fogo, adicione um generoso fio de **óleo de oliva extravirgem** e o alho fatiado e dê uma mexida • Quando o alho começar a dourar, junte as vagens e balance a panela para cobri-las com o óleo e o alho • Adicione uma concha da água do cozimento reservada, o parmesão e o suco de ½ **limão-siciliano** • Mexa e cozinhe em fogo brando até que a água e o queijo comecem a formar um molho cremoso e viscoso, depois retire do fogo e sirva imediatamente

# ALHO-PORÓ ASSADO CREMOSO

### para 4–6 pessoas

Preaqueça o forno a 200°C • Pegue 800 g de **alho-poró**, descasque as folhas externas machucadas, apare e descarte as extremidades • Depois corte os alhos-poró em quatro partes ao comprido e pique grosseiramente • Ponha todo o alho-poró dentro de uma peneira, dê uma boa lavada para livrá-lo de qualquer sujeira e escorra • Descasque e fatie finamente 2 dentes de **alho** • Coloque uma panela sobre fogo médio e adicione 2 bolotas de **manteiga**, um fio de **óleo de oliva** e o alho • Arranque as folhas de 6 galhos de **tomilho fresco**, descartando os talos • Assim que o alho começar a dourar minimamente, acrescente todo o alho-poró, as folhas de tomilho e dê uma mexida • Aumente o fogo e cozinhe por cerca de 10 minutos, ou até que o alho-poró fique tenro • Enquanto isso, rale 100 g de **queijo cheddar** • Retire a panela de alho-poró do fogo e tempere com duas pitadas de **sal e pimenta-do-reino** • Adicione 200 ml de **creme de leite** e metade do queijo ralado • Misture tudo e transfira para uma travessa refratária que dê uma camada de alho-poró com cerca de 2,5 cm de espessura • Polvilhe com o restante do queijo e asse no forno preaquecido por cerca de 20 minutos, ou até que fique dourado e borbulhante

# BATATAS FRANCESAS ASSADAS

## para 4–6 pessoas

Preaqueça o forno a 200°C • Descasque e fatie finamente 800 g de **batatas** • Descasque, corte ao meio e fatie finamente 400 g de **cebolas médias** e 3 dentes de alho • Destaque as folhas de um punhado pequeno de **salsa fresca** e pique-as finamente • Despeje dois fios de **óleo de oliva** em uma panela grande quente e adicione as cebolas, o alho e a salsa • Refogue lentamente por 10 minutos, ou até que as cebolas fiquem tenras e ligeiramente douradas • Acrescente uma boa pitada de **sal e pimenta-do-reino** • Misture 1 **cubo de caldo de galinha ou vegetais** em 850 ml de água fervente • Em uma travessa refratária larga acomode uma camada de batatas, polvilhe com sal e pimenta-do-reino e faça uma camada de cebolas • Repita as camadas até utilizar todos os ingredientes, mas procure finalizar com uma camada de batatas • Despeje o caldo quente até cobrir as batatas • Esmague 2 bolotas de **manteiga** e espalhe por cima • Unte um pedaço de papel-alumínio com óleo de oliva, acomode-o sobre a travessa, com o lado untado voltado para baixo, e sele firmemente • Leve ao forno preaquecido por 45 minutos, depois retire o papel-alumínio, pressione as batatas para baixo e devolva a travessa ao forno por mais 20 a 40 minutos, ou até que fiquem douradas e crestadas

# COUVE-FLOR COM QUEIJO

## para 4–6 pessoas

Preaqueça o forno a 180°C • Coloque água fervente numa panela larga • Remova as folhas verdes externas de 1 **couve-flor grande** e descarte-as • Quebre a couve-flor em pedaços pequenos e fatie os caules • Destaque as folhas de 2 ramos de **alecrim fresco** • Adicione toda a couve-flor à panela de água fervente com uma pitada de sal marinho e ferva por 5 minutos • Pique 4 **filés de anchova** e coloque-os em uma tigela com 400 ml de *crème fraîche* • Misture com 100 g de **queijo cheddar** ralado e tempere com **sal e pimenta** • Despeje um fio de **óleo de oliva extravirgem** em um processador de alimentos e acrescente 4 fatias de **pão** com casca, uma tira de **bacon defumado** e as folhas de alecrim • Processe até esfarelar tudo • A essa altura a couve-flor já deve estar pronta, então passe-a por um escorredor e depois acomode-a em uma travessa refratária de tamanho médio • Cubra a couve-flor com colheradas do molho e polvilhe com mais 100 g de queijo *cheddar* seguido da mistura esfarelada • Leve ao forno preaquecido por 45 minutos ou até dourar, crestar e borbulhar

# REPOLHO COM BACON REFOGADO

**para 4-6 pessoas**

Destaque as folhas de 1 **repolho savoy ou verde**, depois lave-as • Enrole as folhas juntas, como um charuto, e fatie-as finamente • Descasque e pique finamente 2 dentes de **alho** • Fatie 6 tiras de **bacon defumado** • Coloque o *bacon* em uma panela larga em fogo médio com um fio de **óleo de oliva** e mexa por alguns minutos, até que fique bem crestado e dourado • Acrescente o alho e, assim que ele começar a dourar, adicione 2 colheres (sopa) de **molho Worcestershire** (molho inglês), 2 bolotas de **manteiga** e todo o repolho fatiado • Mexa bem, dê uma sacudida na panela e aumente para fogo alto • Dissolva 1 **cubo de caldo de frango ou de vegetais** em 285 ml de água fervente e junte-o à panela, misturando bem • Tampe a panela e cozinhe por cerca de 5 minutos, remova a tampa e continue a cozinhar por mais 5 minutos • Prove e tempere com **sal e pimenta-do-reino** se achar necessário • Regue com um fio de **óleo de oliva extravirgem** um pouco antes de servir

# MILHO AO ESTILO MEXICANO

**para 4 pessoas**

Ferva 4 espigas de milho em água salgada por 8 a 10 minutos, com a panela tampada • Quando o milho estiver tenro, passe as espigas por um escorredor • Rale 80 g de **queijo parmesão** sobre o fundo de uma travessa grande de servir ou sobre 4 pratos individuais • Corte 1 **pimenta vermelha** fresca ao meio, retire as sementes, pique-a finamente e polvilhe uniformemente sobre o queijo • Coloque uma pequena bolota de **manteiga** sobre cada espiga e esfregue-a por todos os grãos de milho • Assim que a manteiga derreter, passe cada espiga sobre o queijo com pimenta, de modo que os temperos grudem nela • Tempere com uma boa pitada de **sal e pimenta-do-reino** • Sirva com cunhas de **limão taiti** para espremer por cima

# Receitas rápidas de carne e peixe

Este capítulo se concentra nos cortes de carne e peixe mais comumente encontrados no mercado. Entre as carnes, estão as costeletas de porco e as de cordeiro, os filés de carne bovina e os peitos de frango. Quanto aos peixes, temos o salmão, o bacalhau, o atum e a truta. Dou duas receitas de cada um deles, apetitosas e rápidas, ideais para iniciantes.

Há muita controvérsia envolvendo o consumo de carnes e peixes. Devo admitir que, em parte, sou culpado por isso. Claro que apoio alimentos orgânicos, mas se o orçamento é problema, acho que a carne e o peixe padrões da RSPCA Freedom Food são boas alternativas (a RSPCA é uma associação do Reino Unido que protege os animais criados para o abate contra crueldades – N. do T.).

Também existe muita controvérsia em relação à pesca e sua ética. Por causa da pesca desmedida, os peixes criados em cativeiro parecem ser a única opção sustentável.

No final deste capítulo você encontrará uma seção que inclui alguns molhos e óleos temperados deliciosos e rápidos, ótimos para acompanhar carne ou peixe.

# COSTELETAS DE PORCO FRITAS GLAÇADAS

Vale a pena comprar carne de animais criados livremente. A carne dos porcos comuns geralmente é magra e seca, por isso é bem melhor gastar um pouco em qualidade. Coma uma boa carne de porco, com menor frequência, e pense nisso como um regalo. As costeletas de porco glaçadas têm sabor intenso, em que carne e cobertura doce combinam bem. É bom servi-las acompanhadas de uma salada crocante ou de vegetais no vapor, temperados com óleo de oliva extravirgem e suco de limão.

**para 2 pessoas**

*2 costeletas de porco (200 g cada), de*
  *preferência orgânicas ou caipiras*
*óleo de oliva*
*sal marinho e pimenta-do-reino moída na hora*

*4 ramos de sálvia fresca*
*opcional: 1 limão-siciliano*
*para glaçar: purê de maçã, chutney de*
  *manga, geleia de damasco ou mel*

### Para preparar a carne de porco
Com uma faca bem afiada, apare a pele das extremidades das costeletas – as aparas vão virar torresmos •
Divida cada tira de pele ao comprido, de modo que resultarão em 4 tiras • Use uma faca afiada para fazer
cortes a cada 1 cm ao longo da capa de gordura que permanecer nas costeletas, para ajudar a derretê-la
e crestá-la na hora do cozimento • Esfregue os dois lados das costeletas com óleo de oliva e tempere
bem com sal e pimenta-do-reino • Tempere também as tiras de pele • Destaque as folhas de sálvia dos
ramos, misture-as com um pouco de óleo de oliva e reserve

### Para cozinhar
Coloque uma frigideira em fogo alto e adicione as tiras de pele • Mexa-as e retire quando estiverem douradas e crocantes • Acomode as duas costeletas na frigideira e frite cada lado por 4-5 minutos, virando
a cada minuto • Quando as costeletas estiverem douradas, adicione algumas folhas de sálvia à frigideira •
Deixe que fritem por cerca de 30 segundos, depois transfira-as para um prato • Coloque 1 colher (sopa)
cheia de purê de maçã (ou outro ingrediente para glaçar) sobre cada costeleta • Continue virando-as
para que fiquem completamente cobertas • Cozinhe até formar uma casca maravilhosamente espessa,
viscosa e com uma coloração avermelhada • Transfira as costeletas para um prato e deixe que descansem
por 1 ou 2 minutos, espremendo um pouco de suco de limão se quiser suavizar o doce

### Para servir
Sirva as costeletas em um prato, com os torresmos e as folhas crocantes de sálvia • Fica adorável com
vegetais, uma salada fresca, arroz branco ou purê de batatas

# FILÉ GRELHADO COM MOLHO DE RAIZ-FORTE

Cozinhar carne desta maneira é rápido e simples. Esfregar a superfície da carne com um dente de alho enquanto ela cozinha é um pequeno truque que aprendi com o rei norte-americano do churrasco, Adam Perry Lang. Experimente e você nunca mais deixará de fazer assim.

**para 2 pessoas**
um punhado pequeno de alecrim fresco
sal marinho e pimenta-do-reino moída na hora
óleo de oliva
2 bifes de filé de boi (225 g cada)
1 dente grande de alho
para o molho
2 colheres (sopa) de crème fraîche (feito

com creme de leite integral com adição de
creme azedo ou de iogurte – N. do T.)
1 colher (sopa) de raiz-forte ralada,
    fresca ou em conserva
sal marinho e pimenta-do-reino moída na hora
1 limão-siciliano
óleo de oliva extravirgem

### Para preparar a carne e o molho
Ponha uma frigideira de grelhar em fogo alto e deixe esquentar bem • Pique as folhas destacadas dos ramos de alecrim, misture-as com uma pitada de sal e pimenta-do-reino e espalhe sobre uma tábua • Regue os dois lados dos filés com óleo de oliva e passe-os no alecrim temperado • Coloque o *crème fraîche* e a raiz-forte em uma tigelinha com uma pitada de sal e pimenta-do-reino • Esprema um pouco de suco de limão na tigela • Acrescente um borrifo de óleo de oliva extravirgem e misture. Prove e adicione raiz-forte se quiser que fique mais picante

### Para cozinhar a carne
Acomode os filés sobre a grelha quente e pressione-os gentilmente • Espere 1 minuto, depois vire-os • Corte a ponta do dente de alho e esfregue com ele o lado grelhado da carne • Vire os filés de novo após mais 1 minuto, esfregue-os novamente com o alho e pressione-os • Para a carne ficar malpassada ou ao ponto, cozinhe cada lado por cerca de 4 a 5 minutos • Para ficar bem passada, gaste mais alguns minutos • Transfira os filés da grelha para uma travessa e deixe que descansem por um tempinho • Regue-os com um pouco de óleo de oliva

### Para servir
Acomode os filés sobre pratos limpos e coloque uma boa colherada do molho de raiz-forte ao lado ou sobre eles • Regue com um pouco dos sucos que a carne soltou enquanto descansava e com um pouco de óleo de oliva extravirgem, ou corte os filés em diagonal e sirva-os sobre uma cama de algo fresco e leve, como uma salada de agrião, com o molho de raiz-forte

# FILÉ GRELHADO À MODA ESPANHOLA

Esta é uma combinação simples e deliciosa entre um excelente filé, com todo o fantástico suco que ele solta, e um toque ligeiramente espanhol dado pela páprica, pimentas vermelhas e pimentões grelhados. Fica ótimo quando servido com uma porção de *crème fraîche* ou mesmo sozinho. Também fica bom dentro de um pão árabe com salada ou com um pouco de arroz.

**para 2 pessoas**

*2 pimentas vermelhas frescas*
*1 pimentão vermelho*
*2 bifes de filé de boi (200 g cada)*
*sal marinho e pimenta-do-reino moída na hora*
*uma boa polvilhada de páprica normal ou defumada*

*óleo de oliva*
*1 dente grande de alho*
*1 limão-siciliano*
*200 ml de crème fraîche (feito com creme de leite integral com adição de creme azedo ou de iogurte – N. do T.)*

**Para preparar a carne**
Coloque uma frigideira de grelhar em fogo alto e deixe esquentar bem • Corte as pimentas e os pimentões ao meio, elimine as sementes, depois corte cada metade ao meio • Tempere bem os bifes com sal, pimenta-do-reino e páprica • Regue com um fio generoso de óleo de oliva e esfregue os dois lados com os temperos, cobrindo-os inteiramente

**Para grelhar**
Acomode os bifes de filé em uma grelha ou frigideira quente com as pimentas e os pimentões • Os bifes devem levar 5–8 minutos para ficarem prontos, dependendo de como você gosta deles • Vire-os a cada minuto e, com um dente de alho com a ponta cortada, esfregue o lado quente e crestado dos bifes e pressione-os de novo • Não se esqueça de virar as pimentas e os pimentões também • Transfira a carne da frigideira para uma travessa e deixe que descanse por cerca de 5 minutos • Cozinhe as pimentas e os pimentões por mais 2 minutos, ou até que fiquem ligeiramente grelhados, depois transfira-os para outro prato e regue com óleo de oliva extravirgem • Esprema metade do limão sobre os bifes

**Para servir**
Você pode deixar os bifes inteiros ou cortá-los em tiras e servi-las cobertas com os pimentões e as pimentas • Ficam ótimos com uma porção de *crème fraîche* • Regue com os sucos que a carne desprende ao descansar, polvilhe com uma pitada de páprica e finalize com um fio generoso de óleo de oliva extravirgem e o suco da outra metade do limão

## WILLIE SHEPARD
FAZENDEIRO

Sou um criador de gado e nunca havia preparado uma única refeição em minha vida — os fazendeiros simplesmente não costumam fazer isso, mas desde que me passaram algumas receitas eu encaro a comida de modo diferente. Descobri que posso cozinhar e em poucos minutos consigo colocar uma refeição na mesa!

# KEBABS DE CARNE DE PORCO

A chave para fazer um bom *kebab* é gastar o tempo necessário para garantir que os ingredientes estejam picados grosseiramente no mesmo tamanho. Desse modo, tudo cozinha uniformemente e o resultado final é ótimo. Os *kebabs* são muito versáteis. Tanto podem ser grelhados como churrasqueados. Experimente diferentes combinações de carnes e vegetais: cebolas, cogumelos, pimentas vermelhas, abobrinhas e pimentões funcionam muito bem.

**para 2 pessoas**

400 g de carne de porco, de preferência orgânica
16 cogumelos pequenos
1 cebola roxa média
2 limões

um punhado pequeno de alecrim fresco
1 colher (chá) de cominho moído
sal marinho e pimenta-do-reino moída na hora
óleo de oliva
1 colher (chá) de mel líquido

### Para preparar os kebabs

Preaqueça uma frigideira de grelhar em fogo alto por 5 minutos • Se utilizar espetos de madeira, corte-os no comprimento de modo que caibam na frigideira e deixe-os imersos em água por pelo menos 30 minutos para que não queimem depois • Fatie a carne de porco em pedaços de 2 cm • Limpe os cogumelos com um pedaço de papel de cozinha e corte fora os talos • Dependendo do tamanho dos cogumelos, deixe-os inteiros ou corte-os em pedaços do mesmo tamanho que a carne • Descasque e corte a cebola ao meio, depois corte cada metade em quatro • Corte a casca de um dos limões e pique-a finamente com as folhas de alecrim destacadas dos ramos • Misture com o cominho e uma boa pitada de sal e pimenta-do-reino e polvilhe sobre sua superfície de trabalho • Regue a carne, os cogumelos e as cebolas com óleo de oliva e passe-os na mistura de alecrim, cominho e casca de limão • Enfie um pedaço de carne de porco no espeto, seguido de um pedaço de cebola ou cogumelo, e repita o procedimento até que todos os pedaços tenham sido usados • Não os deixe muito grudados — mantendo pequenos espaços entre eles, o vapor e o calor poderão chegar lá e cozinhar tudo. Regue os *kebabs* com óleo e tempere bem com sal e pimenta-do-reino

### Para cozinhar

Coloque os *kebabs* em uma frigideira de grelhar e pressione-os gentilmente • Deixe-os por cerca de 8 minutos no total, virando-os a cada 2 minutos, até que tudo fique ligeiramente tostado e a carne de porco completamente cozida • Utilize uma faca afiada para cortar a carne e checar se está pronta • Se ainda estiver um pouco rosada, continue a cozinhar por mais alguns minutos • Quando a carne estiver pronta, regue os *kebabs* com óleo de oliva, um pouco mais de sal, uma boa espremida de suco de limão e o mel • Cozinhe por mais 30 segundos, virando sempre

### Para servir

Coloque os *kebabs* em um prato e regue-os com os sucos que ficaram na frigideira • Sirva com cunhas de limão e coisas como molhos, creme azedo, salada ou arroz — você escolhe

# FRANGO CROCANTE COM ALHO

Esta técnica de empanar também pode ser utilizada com carne de porco ou mesmo com bacalhau. Como existe manteiga na mistura de empanar, você pode grelhar, fritar, assar na brasa ou no forno.

## para 2 pessoas

*1 dente de alho*
*1 limão-siciliano*
*6 cream crackers*
*25 g de manteiga*
*4 ramos de salsa*

*sal marinho e pimenta-do-reino moída na hora*
*2 colheres (sopa) cheias de farinha sem fermento*
*1 ovo grande, de preferência orgânico ou caipira*
*2 peitos de frango sem pele, de*
  *preferência orgânico ou caipira*
*óleo de oliva*

### Para preparar o frango

Descasque o alho e raspe a casca do limão • Coloque os *cream crackers* em um processador de alimentos com a manteiga, o alho, os ramos de salsa, as raspas de limão e uma pitada de sal e pimenta • Processe até que a mistura fique bem esmigalhada, depois despeje-a em um prato fundo • Espalhe a farinha em outro prato • Quebre o ovo em uma pequena tigela e bata com um garfo • Faça talhos leves no lado de baixo dos peitos de frango • Ponha um quadrado de filme plástico sobre cada peito de frango e bata algumas vezes com o fundo de uma panela até que fique um pouco achatado • Mergulhe o frango na farinha até que os dois lados estejam completamente cobertos, depois no ovo e finalmente nas migalhas temperadas • Pressione as migalhas contra os peitos de frango de modo que elas grudem, cobrindo-os completamente

### Para cozinhar

Você pode assar ou fritar o frango • Se for assar, preaqueça o forno na temperatura mais alta, acomode o frango em uma assadeira e cozinhe por 15 minutos • Para fritar, coloque uma frigideira em fogo médio, adicione uns bons fios de óleo de oliva e frite-o por 4 a 5 minutos de cada lado, até a carne ficar completamente cozida, dourada e crestada

### Para servir

Sirva os peitos de frango inteiros ou corte-os em tiras e empilhe-as em um prato • Fica lindo servido com cunhas de limão para espremer por cima e uma pequena polvilhada de sal • Adorável com uma salada fresca ou vegetais temperados de modo simples

# PEITOS DE FRANGO COM PARMESÃO E PRESUNTO CROCANTE CHIQUE

Este é um jeito ótimo de preparar peitos de frango. A textura crocante do *prosciutto* cozido combina brilhantemente com a carne macia do frango. Bater o peito de frango até ficar achatado antes de começar a prepará-lo garante que ele cozinhará bem mais rapidamente que do modo tradicional.

**para 2 pessoas**

*30 g de queijo parmesão*
*2 peitos de frango sem pele, de*
  *preferência orgânico ou caipira*
*pimenta-do-reino moída na hora*

*2 ramos de tomilho fresco*
*1 limão-siciliano*
*6 fatias de prosciutto*
*óleo de oliva*

### Para preparar o frango

Rale o parmesão • Cuidadosamente, faça talhos em formato de cruz no lado de baixo dos peitos de frango com uma pequena faca • Tempere com um pouco de pimenta-do-reino (esqueça do sal, já que o *prosciutto* é bem salgado) • Acomode os peitos de frango um ao lado do outro e polvilhe-os com a maior parte das folhas de tomilho destacadas dos ramos • Rale um pouco de raspas da casca do limão sobre eles, depois polvilhe com o parmesão • Acomode 3 fatias de *prosciutto* sobre cada peito, sobrepondo-as ligeiramente • Regue com um pouco de óleo de oliva e polvilhe com o restante das folhas de tomilho • Coloque um quadrado de filme plástico sobre cada peito de frango e dê umas boas socadas neles com o fundo de uma panela, até que fiquem com cerca de 1 cm de espessura

### Para cozinhar

Coloque uma frigideira em fogo médio • Remova o filme plástico e, cuidadosamente, transfira os peitos de frango para a frigideira, com as fatias de *prosciutto* para baixo • Regue com um pouco de óleo de oliva • Cozinhe cada lado por 3 minutos, virando a cada 1½ minuto, e deixe o *prosciutto* por mais 30 segundos para ficar crestado

### Para servir

Sirva os peitos de frango inteiros ou corte-os em fatias grossas, acomodando-as em uma travessa • Acompanhe com algumas cunhas de limão e regue bem com óleo de oliva • Fica adorável com purê, legumes ou uma salada crocante

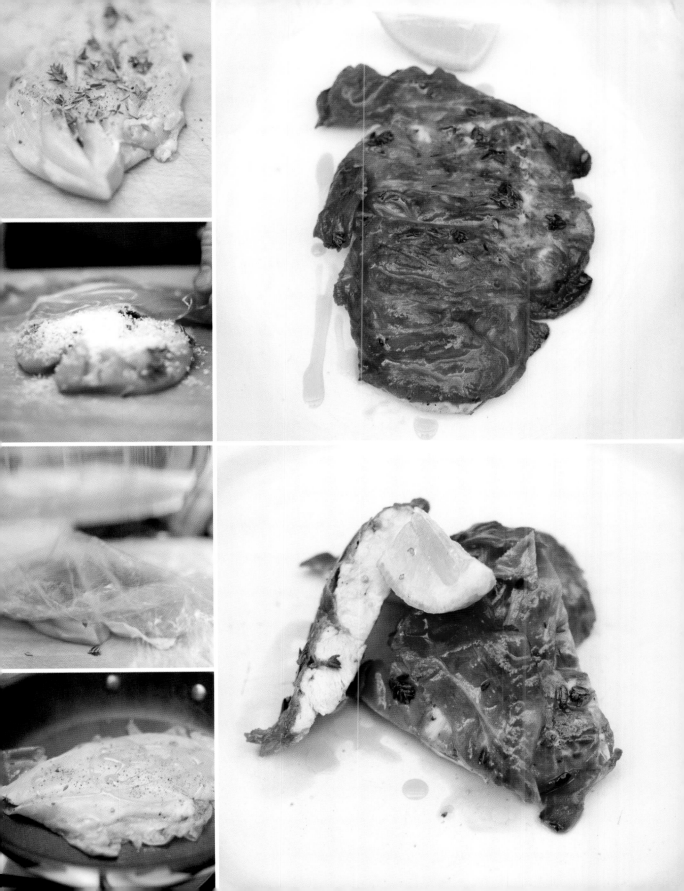

# COSTELETAS DE CORDEIRO GRELHADAS COM SALSA EM PEDAÇOS

Ao cozinhar um *carré* de cordeiro, você deve deixar que a carne fique rosada, enquanto as costeletas devem ficar douradas e crestadas por fora e cozidas por inteiro. Eu sirvo as minhas com um molho feito com tomates, pimentas vermelhas e pimentões, em pedaços. Você pode cozinhar os vegetais com antecedência ou junto com o cordeiro, como eu fiz aqui. Prefiro cozinhar tudo ao mesmo tempo para que os sabores se misturem. Este é um prato que pode ser preparado na frigideira, na grelha ou na churrasqueira.

**para 2 pessoas**

½–1 pimenta vermelha fresca, a gosto

2 tomates maduros grandes

1 pimentão vermelho

um punhado de manjericão fresco

4–6 costeletas de cordeiro, dependendo do tamanho

óleo de oliva

sal marinho e pimenta-do-reino moída na hora

óleo de oliva extravirgem

uma borrifada de vinagre de vinho tinto

### Para preparar as costeletas e a salsa

Coloque uma frigideira de grelhar em fogo alto até que fique bem quente • Corte a pimenta vermelha ao meio e descarte as sementes • Corte os tomates ao meio • Corte o pimentão ao meio e descarte as sementes, depois corte cada metade ao meio • Destaque as folhas de manjericão dos ramos e reserve-as. Regue ambos os lados das costeletas com um pouco de óleo de oliva e tempere com sal e pimenta-do-reino

### Para cozinhar as costeletas e a salsa

Mantenha as costeletas de pé sobre a frigideira quente de modo que as beiradas com gordura encostem diretamente no fundo por cerca de 1 minuto, até que fiquem crestadas • Acomode-as horizontalmente na frigideira e pressione-as gentilmente por cerca de 1 minuto • Acrescente a pimenta vermelha, o pimentão e os tomates – com os lados cortados para baixo – ao redor da beirada da frigideira • Cozinhe as costeletas por cerca de 4 a 5 minutos no total, virando-as a cada minuto e pressionando a carne para baixo a cada vez • Vire também os vegetais durante o cozimento e, depois que amolecerem e ficarem grelhados, transfira-os para uma tábua de picar • Quando as costeletas ficarem douradas, coloque-as para descansar em um prato por 1 ou 2 minutos, enquanto você prepara a salsa • Pique as pimentas, os tomates, os pimentões e as folhas de manjericão (reservando algumas menores) • Coloque tudo em uma tigela com um fio generoso de óleo de oliva extravirgem e uma pitada de sal e pimenta-do-reino • Adicione uma pequena borrifada de vinagre de vinho tinto e mexa bem • Prove e acrescente mais tempero ou vinagre se achar necessário

### Para servir

Sirva as costeletas sobre uma camada da *salsa* • Finalize polvilhando com as folhas reservadas de manjericão

# CORDEIRO MARROQUINO COM CUSCUZ

Filé de pescoço de cordeiro geralmente não é utilizado para este tipo de cozimento rápido, mas com um pouco de capricho ele pode ficar delicioso. O truque é colocá-lo para dourar e crestar em uma panela muito quente. Os grãos-de-bico adicionam uma textura adorável ao molho.

## para 2 pessoas

1 cebola roxa média

3 tomates maduros

um punhado pequeno de salsa fresca

1 pimenta vermelha fresca

8 damascos secos

óleo de oliva

uma bolota pequena de manteiga

cominho moído

sal marinho e pimenta-do-reino moída na hora

um punhado pequeno de pinólis

400 g de grão-de-bico em conserva

200 g de cuscuz

1 limão-siciliano

1 colher (sopa) de vinagre balsâmico

250 g de filé de pescoço de cordeiro

150 g de iogurte natural, para servir

### Para preparar e cozinhar o molho e o cuscuz

Descasque as cebolas e pique-as finamente • Corte os tomates em pedaços grossos • Pique a salsa • Corte a pimenta vermelha ao meio, tire as sementes e pique-a • Fatie bem os damascos • Coloque uma panela em fogo alto e adicione um fio de óleo • Acrescente as cebolas, a pimenta vermelha, os damascos e a manteiga e cozinhe até as cebolas ficarem ligeiramente tenras • Adicione 2 colheres (chá) de cominho, os pinólis, uma pitada de sal e pimenta-do-reino e mexa • Junte os tomates, a maior parte da salsa e o grão-de-bico, com o líquido da conserva e mais 50 ml de água • Deixe o molho borbulhar por uns 5 minutos e, enquanto ele cozinha em fogo baixo, coloque o cuscuz em uma tigela e despeje água fervente suficiente apenas para cobri-lo • Ponha uma pitada de sal e pimenta-do-reino, um pouco de suco de limão e um fio de óleo de oliva, depois cubra a tigela com papel-alumínio e reserve por 5 a 8 minutos • Volte ao molho e esmague-o um pouco com uma colher • Adicione mais uma pitada de sal e pimenta-do-reino e o vinagre balsâmico

### Para preparar e cozinhar a carne de cordeiro

Coloque uma segunda panela em fogo alto e deixe ficar bem quente • Corte o cordeiro em uma tábua em fatias de mais ou menos 2,5 cm • Polvilhe a tábua com um pouco de cominho e uma boa pitada de sal e pimenta-do-reino • Passe a carne pela tábua para cobri-la com os temperos e pressione-a com as mãos para formar medalhões • Adicione alguns fios de óleo de oliva e a carne à panela quente • Cozinhe cada lado da carne por cerca de 2 minutos, ou até que fique dourada

### Para servir

Descubra o cuscuz, mexa-o um pouco com o garfo e sirva-o nos pratos • Coloque medalhões de cordeiro ao lado do cuscuz junto de uma boa quantidade de molho • Polvilhe com a salsa restante e sirva com uma porção de iogurte, um fio de óleo de oliva e qualquer caldo que tenha ficado na panela

# SALMÃO ASSADO EM CARTUCHO DE PAPEL-ALUMÍNIO COM VAGENS E PESTO

Este prato é muito fácil de preparar – uma porção de salmão, um punhado de vagens, um *pesto* de boa qualidade e uma espremida de suco de limão. Fica ótimo com arroz, batatas ou pão com casca. Para um jantar com amigos, você pode utilizar um filé inteiro de salmão **e** preparado da mesma maneira, apenas use o dobro do tempo para cozinhá-lo.

**para 2 pessoas**

*2 punhados de vagens*

*2 limões-sicilianos*

*2 filés de salmão (200 g cada), com pele,*
  *sem espinhas e sem escamas*

*2 colheres (sopa) de pesto verde*

*óleo de oliva*

*sal marinho e pimenta-do-reino moída na hora*

**Para preparar o salmão**

Preaqueça o forno a 200ºC • Apare as vagens cortando as extremidades do lado dos talos, mas mantendo as pontas finas • Corte um dos limões ao meio • Pegue um pouco menos que 1 metro de papel-alumínio e dobre-o ao meio para ficar com duas camadas • Coloque no centro dele um punhado de vagens • Acomode um filé de salmão, com a pele voltada para baixo, transversalmente às vagens e cubra com uma boa colherada (sopa) de *pesto* verde • Regue com óleo de oliva, esprema o suco de meio limão e tempere com sal e pimenta-do-reino • Junte as extremidades do papel-alumínio e amasse-as para selar o cartucho • Repita esses passos com o segundo filé e acomode os dois cartuchos em uma assadeira

**Para cozinhar e servir o salmão**

Coloque a assadeira no forno quente e cozinhe por 15 minutos • Retire-a e deixe descansar 1 minuto antes de abrir os cartuchos cuidadosamente e checar se o salmão está inteiramente cozido • Você pode colocar os cartuchos nos pratos, do jeito que estão, ou desembrulhá-los cuidadosamente antes de servir • Fica ótimo com cunhas de limão e batatas novas

# SALMÃO NO VAPOR À MODA ASIÁTICA

É melhor fazer este prato usando uma panela de cozimento a vapor, mas um escorredor sobre uma panela com água fervente dará conta. Como tudo é cozido no vapor, os sabores ficam bem suaves. As castanhas-d'água acrescentam uma textura crocante e mais sabor. Também fiz um molhinho ardido para acompanhar. Fique à vontade para utilizar outros peixes e vegetais como aspargos e ervilhas.

## para 2 pessoas

um punhado grande de brócolis roxo

1 lata (220 g) de castanhas-d'água (encontrada em lojas especializadas em alimentos orientais)

um punhado grande de ervilhas-tortas

2 filés de salmão (cerca de 200 g cada), com pele, sem espinhas e sem escamas

## Para o molho

um pedaço de raiz fresca de gengibre de uns 5 cm

1 dente de alho

½ pimenta vermelha fresca

1 cebolinha verde

2 colheres (sopa) de molho de soja (shoyu)

3 colheres (sopa) de óleo de oliva extravirgem

1 limão-siciliano

## Para preparar o salmão

Encha metade de uma panela com água e coloque em fogo alto para ferver • Apare as extremidades dos talos de brócolis • Acomode as castanhas-d'água em um escorredor • Adicione as ervilhas-tortas • Ponha os filés de salmão sobre as ervilhas-tortas, com a pele para baixo, depois espalhe os brócolis por cima • Cubra o escorredor com papel-alumínio e aperte-o bem nas beiradas para vedar o vapor

## Para cozinhar o salmão e preparar o molho

Ponha o escorredor todo coberto sobre a panela de água fervente e deixe cozinhar no vapor por 8 a 10 minutos • Enquanto isso, descasque e rale o gengibre e metade do dente de alho em uma tigela pequena • Fatie a pimenta vermelha e a cebolinha e acrescente tudo à tigela com o molho de soja e o óleo de oliva extravirgem • Esprema o suco de meio limão na tigela • Misture bem e reserve • Depois que o salmão e os vegetais cozinharem no vapor por 8 minutos, abra o papel-alumínio e veja se o peixe está cozido por inteiro — ele deve se desfazer em lascas

## Para servir o salmão

Divida o salmão, as castanhas-d'água e os vegetais pelos pratos • Mexa ligeiramente o molho e regue o prato pronto com ele • Sirva com a metade de limão que restou, cortada em cunhas

# TRUTA GRELHADA COBERTA COM MOSTARDA E AVEIA

É um estilo bem clássico inglês que usa amêndoas e mostarda para dar uma certa textura a peixes levemente oleosos, como a truta, a carpa, a cavala e a sardinha. É um prato bem suculento e saboroso, por isso sugiro acompanhá-lo de uma salada de folhas ou de batatas novas e vegetais cozidos no vapor.

**para 2 pessoas**
óleo de oliva
2 filés de truta (cerca de 200 g cada), com
  a pele, sem espinhas e sem escamas

sal marinho e pimenta-do-reino moída na hora
2 colheres (chá) de mostarda Dijon
2 punhados de aveia
1 limão-siciliano

### Para preparar a truta
Ligue o *grill* na temperatura máxima • Esfregue todo o fundo de uma assadeira com um pouco de óleo de oliva • Acomode nela os filés de truta, com a pele para baixo, e tempere com sal e pimenta-do-reino • Espalhe uma colher (chá) de mostarda sobre cada filé • Coloque a aveia em uma tigela, regue-a com um pouco de óleo de oliva e mexa • Polvilhe um punhado de aveia sobre cada filé dando leves batidinhas • Regue com um pouco mais de óleo de oliva e bata mais um pouco

### Para cozinhar
Coloque a assadeira sob a grelha preaquecida por cerca de 10 minutos, ou até que a aveia fique dourada e crestada e o peixe esteja completamente cozido

### Para servir
Divida entre os pratos e sirva com batatas novas simples, um pouco de agrião fresco e uma cunha de limão para espremer por cima

# TRUTA SIMPLES NA FRIGIDEIRA

Gosto do processo de fritar porque é muito visual. Você pode de fato ver o calor da frigideira cozinhar o peixe. Ao fritarmos algo, é importante manter contato com a frigideira – especialmente em se tratando de peixes. A maioria das coisas se retorce logo que toca uma frigideira quente, por isso pressione gentilmente os filés com uma espátula assim que colocá-los nela.

**para 2 pessoas**

*2 filés de truta (cerca de 200 g cada), com pele, sem escamas e sem espinhas*
*sal marinho e pimenta-do-reino moída na hora*

*óleo de oliva*
*uma bolota de manteiga*
*alguns punhados grandes de espinafre fresco*
*1 limão-siciliano*

**Para preparar a truta**
Coloque uma frigideira antiaderente em fogo de médio a alto • Polvilhe os filés de truta com sal e pimenta-do-reino e regue com óleo de oliva • Esfregue o peixe até que fique bem coberto

**Para cozinhar**
Quando a frigideira estiver quente, coloque nela os filés de truta, com a pele para baixo, e cozinhe por 3 minutos, ou até que fiquem crestados • Enquanto estiver cozinhando, dê umas sacudidas leves na frigideira • Quando você achar que os filés já estão prontos de um lado, vire-os para fritar o outro lado por 30 segundos – assim a pele ficará tostada e a carne macia • Retire a frigideira do fogo e acomode a truta nos pratos de servir, com a pele voltada para cima • Ponha na frigideira uma bolota de manteiga e o espinafre, com uma pitada de sal e pimenta-do-reino, e leve de volta ao fogo • Não pare de mexer o espinafre • Assim que ele murchar, retire do fogo

**Para servir**
Sirva os filés com o espinafre e cunhas de limão • Algumas pessoas não gostam da ideia de comer a pele do peixe; sem problema, você não precisa comê-la, mas se nunca experimentou, prove, já que a pele crocante é realmente deliciosa

# BACALHAU ASSADO EMBRULHADO EM BACON COM ALECRIM

O motivo para eu gostar tanto de preparar bacalhau, ou qualquer outro peixe branco, desta maneira é o excelente sabor e textura que você consegue com o *bacon* defumado. Ele fica crocante no forno, em contraste com o peixe, que se desmancha em lascas, e que foi, por sua vez, protegido contra o calor intenso pelo *bacon*. Quanto às ervas, você também pode experimentar tomilho ou manjericão.

## para 2 pessoas

*4 ramos de alecrim fresco*
*óleo de oliva*
*sal marinho e pimenta-do-reino moída na hora*
*2 filés de bacalhau fresco (cerca de 200 g cada),*
*com a pele, sem espinhas e sem escamas*
*8 tiras de bacon defumado, de*
*preferência caipira ou orgânico*
*1 limão-siciliano*

## Para preparar o bacalhau

Preaqueça a forno na temperatura mais alta • Destaque as folhas de 2 dos ramos de alecrim e pique-as numa tábua • Regue as folhas picadas com óleo de oliva e polvilhe com sal e pimenta-do-reino • Tempere os filés de bacalhau, passando-os sobre a tábua para que fiquem cobertos pelas ervas e temperos • Acomode metade das tiras de *bacon* sobre a tábua, uma ao lado da outra, ligeiramente sobrepostas • Achate-as um pouco passando a borda da faca ao longo delas • Acomode um filé de bacalhau transversalmente sobre as tiras de *bacon* e enrole-as ao redor dele • Repita o processo com o segundo filé de bacalhau e o *bacon* restante • Regue uma assadeira com óleo de oliva, untando todo o fundo • Acomode os filés de bacalhau na assadeira, com a pele voltada para baixo • Coloque um ramo de alecrim fresco sobre cada filé e regue com um pouco de óleo de oliva

## Para cozinhar

Acomode a assadeira no forno preaquecido e deixe por 10 a 12 minutos, ou até que o *bacon* fique dourado e o peixe esteja cozido por inteiro

## Para servir

Sirva assim que sair do forno, com uma cunha de limão • Vai bem com purê de batatas e qualquer vegetal cozido no vapor ou salada de folhas com tempero feito na hora

# BACALHAU FRITO COM CURRY

O que eu mais gosto deste método de preparo é o contraste entre sabor e textura que se obtém com uma fina camada de *curry* sobre os filés suculentos de peixe branco. Ao dourá-los em um pouco de manteiga, você criará um intenso sabor em toda a carne delicada e suave. Com uma espremida de limão, este prato definitivamente colocará um sorriso em seu rosto!

**para 2 pessoas**
*3 colheres (sopa) de curry suave em pó*
*sal marinho e pimenta-do-reino moída na hora*
*2 filés de bacalhau (cerca de 200 g cada),*
  *com a pele, sem espinhas e sem escamas*

*alguns ramos de coentro fresco*
*uma bolota de manteiga*
*óleo de oliva*
*500 ml de iogurte natural*

### Para preparar o bacalhau
Polvilhe o curry em pó com uma boa pitada de sal e pimenta-do-reino sobre um prato ou uma tábua • Passe os filés de bacalhau sobre o pó, dando batidinhas leves sobre eles até que fiquem completamente cobertos • Destaque as folhas de coentro dos talos

### Para cozinhar
Coloque uma frigideira antiaderente em fogo alto, com uma bolota de manteiga e um fio de óleo de oliva • Acomode os filés na frigideira, com a pele voltada para baixo • Não pare de derramar colheradas de óleo quente sobre os filés enquanto eles cozinham, até ficarem crocantes – faça isso inclinando a frigideira para coletar o óleo • Frite cada lado por 2 a 3 minutos, tempo ideal aproximado para um filé de 200 g, ou deixe-os por um pouco mais de tempo caso sejam carnudos – até que o peixe esteja cozido por inteiro e a carne se soltando da pele

### Para servir
Este prato fica ótimo sobre uma cama de arroz solto (veja páginas 95-6), com uma colherada de iogurte natural e algumas folhas de coentro polvilhadas por cima

# ATUM GRELHADO E ASPARGOS

Outro prato excelente e rápido. Em uma panela bem quente, uma fatia fina de atum cozinhará quase ao mesmo tempo em que os aspargos, e você poderá se ocupar com o preparo do incrível molho de limão enquanto a panela estiver esquentando. Bem vigoroso, brilhante.

**para 2 pessoas**

um punhado de aspargos

óleo de oliva

2 filés de atum (cerca de 200 g cada,
   com 1 cm de espessura)

Para o molho

um punhadinho de manjericão

½ pimenta vermelha fresca

um punhadinho de tomates secos

1 limão-siciliano

óleo de oliva extravirgem

vinagre balsâmico

sal marinho e pimenta-do-reino moída na hora

## Para preparar o molho e o atum

Coloque uma frigideira de grelhar em fogo alto e deixe-a bem quente • Destaque as folhas de manjericão dos ramos e pique-as bem • Descarte as sementes da pimenta vermelha e pique-a • Pique finamente o tomate seco e coloque-o em uma tigela com o manjericão e a pimenta vermelha • Corte o limão ao meio e esprema o suco dentro da tigela • Adicione um fio de óleo de oliva extravirgem e misture • Acrescente uma borrifada de vinagre balsâmico, tempere com sal e pimenta-do-reino e reserve • Dobre gentilmente o aspargo até que as extremidades mais secas se quebrem • Descarte-as • Regue os filés de atum com um pouco de óleo de oliva, depois esfregue-os com sal e pimenta-do-reino

## Para cozinhar

Acomode os aspargos sobre a grelha quente e seca • Vire-os a cada 1 ou 2 minutos, deixando que crestem um pouco, mas sem queimá-los – o sabor será maravilhoso • Depois de alguns minutos, reserve-os e ponha o atum na frigideira. Você poderá vê-lo cozinhar de baixo para cima • Depois de aproximadamente 1 minuto, quando os filés do peixe estiverem parcialmente cozidos, vire-os • Cozinhe por mais 1 ou 2 minutos • Pode parecer estranho, mas o atum deve permanecer ligeiramente rosado no centro na hora de ser servido – ficará muito seco se for cozido demais

## Para servir

Amontoe os talos de aspargos sobre cada prato e cubra-os com um pouco do molho picante • Acomode os filés de atum sobre os aspargos e coloque outra colherada de molho por cima • Regue com um fio de óleo de oliva extravirgem antes de servir

# ATUM CRESTADO ITALIANO

O mais notável desta receita é que tudo acontece muito depressa, em apenas uma única panela. Lembre-se de que o atum deve ser cozido rapidamente para que continue um pouco rosado por dentro. Eu gosto de comprar azeitonas com caroço, porque elas são bem mais saborosas.

**para 2 pessoas**

2–3 dentes de alho

300 g de tomates-cereja maduros, vermelhos e amarelos

um punhado de azeitonas pretas com caroço

um punhado pequeno de manjericão fresco

1 limão-siciliano

2 filés de atum (cerca de 200 g cada, com 1 cm de espessura)

sal marinho e pimenta-do-reino moída na hora

1 colher (chá) de orégano seco

óleo de oliva extravirgem

4 anchovas

### Para preparar o atum

Coloque uma frigideira grande sobre fogo alto • Descasque o alho e pique-o finamente • Corte os tomates ao meio (os maiores em quatro) • Para descaroçar as azeitonas, pressione-as para baixo utilizando a palma da mão de modo que elas se rompam e os caroços saiam • Destaque as folhas de manjericão dos ramos e reserve as menores para a hora de servir • Corte o limão ao meio

### Para cozinhar

Tempere os filés de atum com sal e pimenta-do-reino e polvilhe-os com o orégano • Coloque um fio de óleo de oliva na frigideira quente, seguido dos filés de atum • Cozinhe cada lado por 1 minuto, depois coloque em um prato aquecido • Leve a frigideira de volta ao fogo com mais um pouco de óleo de oliva, adicione o alho e as azeitonas e cozinhe por 1 minuto • Acrescente as anchovas e os tomates e esprema o suco de uma das metades do limão • Cozinhe por 1 minuto, mexendo de vez em quando • Um pouco antes de tirar a frigideira do fogo, acrescente a maior parte das folhas inteiras de manjericão • Esprema o suco da metade restante do limão, misture tudo e tempere a gosto com sal e pimenta-do-reino

### Para servir

Divida o molho entre os pratos • Fatie o atum em pedaços com 2 cm de espessura e acomode-os por cima • Salpique com o restante do manjericão e sirva com pão de casca crocante e salada fresca

**DAN CARTER**
PORTEIRO

Minha relação com a cozinha era um pesadelo. Eu sempre terminava queimando tudo ou me queimando... Nunca havia comido salmão antes, mas me passaram uma receita e eu gostei muito. Jamie disse que eu o preparei como um *chef*!

# MOLHOS

## MOLHO SIMPLES DE MOSTARDA E QUEIJO
**para 4 pessoas**

*um punhado pequeno de salsa / óleo de oliva / 3 colheres (chá) de mostarda inglesa / 3 colheres (sopa) de conhaque / 285 ml de creme de leite / queijo parmesão ou* cheddar *ralado na hora*

Pique finamente as folhas e talos de salsa • Coloque em fogo alto uma frigideira com 2 fios de óleo de oliva e a mostarda • Acrescente o conhaque • Não é preciso fazer isso, mas sinta-se à vontade para deixá-lo pegar fogo e flambar • Adicione a maior parte da salsa e do creme e deixe ferver • Retire do fogo e misture com o queijo e depois polvilhe com um pouco mais de salsa • Regue com óleo de oliva e sirva imediatamente com o peixe ou a carne de sua escolha (o molho talhará se você demorar muito a servir) • Absolutamente delicioso sobre uma porção de bacalhau

# TOMATE CEREJA, ALCAPARRA E VINAGRE BALSÂMICO
## para 4 pessoas

*4 dentes de alho / cerca de 25 tomates-cerejas (ou 300 g) / óleo de oliva / orégano seco / 2 colheres (sopa) de alcaparras em conserva de salmoura, escorridas / sal marinho e pimenta-do-reino moída na hora / uma bolota de manteiga / vinagre balsâmico*

Descasque e fatie finamente o alho • Corte os tomates-cerejas ao meio • Coloque uma panela sobre fogo médio e adicione 2 generosos fios de óleo de oliva • Acrescente o alho, uma grande pitada de orégano e as alcaparras • Quando estiver ligeiramente dourado, adicione os tomates-cereja • Tempere a gosto com sal e pimenta, e misture • Acrescente a manteiga e 2 borrifadas grandes de vinagre balsâmico e mexa de novo • Deixe o molho borbulhar por cerca de 3 a 5 minutos • Os tomates ficarão tenros e criarão um molho encorpado adorável • Sirva quente, com o peixe ou a carne de sua escolha, ou misture com uma massa cozida quente

# MOSTARDA, CRÈME FRAÎCHE E VINHO BRANCO
**para 4 pessoas**

*6 colheres (chá) de mostarda em grão / 250 ml de vinho branco / 3 colheres (sopa) de* crème fraîche */ sal marinho e pimenta-do-reino moída na hora / opcional: um pouco de salsa fresca*

Coloque uma frigideira em fogo alto • Quando estiver bem quente, ponha nela a mostarda e o vinho branco • Deixe ferver por 1 minuto para reduzir ligeiramente o líquido, depois adicione o *crème fraîche* • Assim que ferver novamente, cozinhe em fogo brando por 7 a 8 minutos até obter uma boa consistência – deve escorrer como um creme de leite • Acrescente uma boa pitada de sal e pimenta-do-reino • Se quiser, adicione agora um pouco de salsa picada • Sirva quente, com o peixe ou a carne de sua escolha

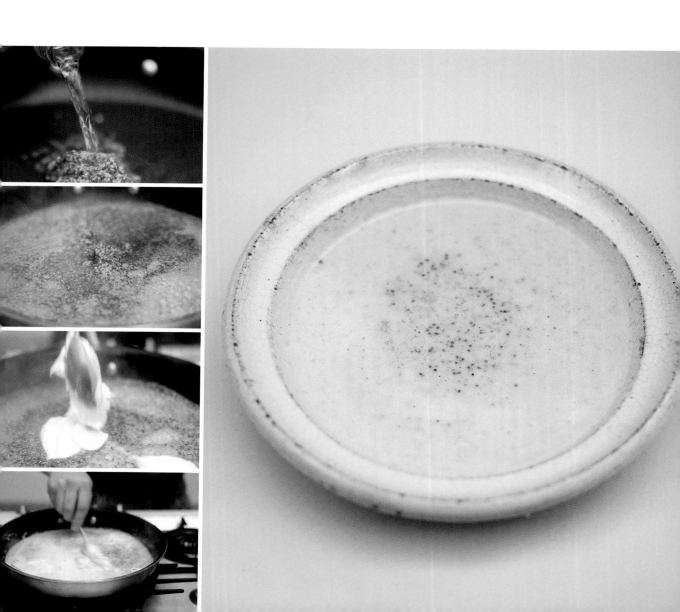

# TOMATE, AZEITONA, MANJERICÃO E CHILLI
**para 4 pessoas**

*2 dentes de alho / um punhadinho de azeitonas-pretas / alguns ramos de manjericão fresco / 1 pimenta vermelha fresca / óleo de oliva / 1 lata (400 g) de tomates picados / sal marinho e pimenta-do-reino moída na hora*

Descasque e fatie finamente o alho • Descaroce as azeitonas e pique-as grosseiramente • Destaque as folhas de manjericão dos ramos e rasgue as maiores • Descarte as sementes e fatie bem a pimenta vermelha • Numa frigideira em fogo alto, despeje um fio generoso de óleo de oliva seguido do alho, das azeitonas e da pimenta fatiada • Quando o alho estiver dourando, acrescente as folhas de manjericão e sacuda a panela • Adicione os tomates, mexa e deixe ferver • Tempere com uma pequena pitada de sal (já que as azeitonas podem ser muito salgadas) e pimenta-do-reino • Sirva imediatamente com o peixe ou a carne de sua escolha

# CREME DE BACON E COGUMELOS para 4 pessoas

*óleo de oliva / 4 tiras de bacon defumado / ½–1 pimenta vermelha fresca, a gosto / 200 g de cogumelos* pra-taiolo *(ou outro) / 4 ramos de tomilho fresco / sal marinho e pimenta-do-reino moída na hora / 4 colheres (sopa) cheias de* crème fraîche

Coloque em fogo médio uma panela grande com um bom fio de óleo de oliva • Acrescente o *bacon* bem picado • Frite por 2 minutos, ou até ficar crocante • Enquanto isso, fatie bem a pimenta vermelha sem as sementes • Fatie finamente os cogumelos e destaque as folhas de tomilho dos ramos • Acrescente a pimenta e os cogumelos picados e as folhas de tomilho à panela e frite por mais 2 minutos • Tempere com sal e pimenta-do-reino • Adicione o *crème fraîche* e deixe borbulhar em fogo brando por 1 minuto • Sirva quente, sobre um pedaço de peixe ou de frango assado, ou misture com uma massa cozida quente

# CURRY MUITO SIMPLES para 4 pessoas

*6 cebolinhas verdes / um bom punhado de coentro fresco / óleo de oliva / 5 colheres (chá) de curry em pó / uma bolota de manteiga / 400 ml de leite de coco / sal marinho / suco de 1 limão*

Apare e fatie finamente as cebolinhas • Pique bem o coentro • Coloque uma panela em fogo baixo com 2 fios generosos de óleo de oliva • Polvilhe com o *curry* em pó e adicione as cebolinhas • Mexa e adicione a bolota de manteiga • Cozinhe por 20 a 30 segundos e, quando estiver borbulhando, acrescente o leite de coco • Ferva, diminua a chama e cozinhe em fogo brando por 2 minutos • Tempere com sal e misture com o coentro e o suco de limão • Sirva quente, com peixe ou carne de sua preferência

# SALSAS

## MANGA, PEPINO E CHILLI para 4 pessoas

*1 manga madura / ½ pepino / 4 ramos de hortelã fresca / 2 cebolinhas verdes / 1 pimenta vermelha / óleo de oliva extravirgem / 2 limões taiti / sal marinho e pimenta-do-reino moída na hora*

Descasque a manga, corte fatias ao redor do caroço, pique-as e ponha numa tigela • Descasque e pique o pepino em pedaços iguais aos de manga e adicione à tigela • Destaque as folhas de hortelã e pique as cebolinhas • Corte a pimenta vermelha (*chilli*) ao meio, descarte as sementes e pique-a • Misture a hortelã, a cebolinha e a pimenta aos pedaços de manga e pepino e regue com óleo de oliva extravirgem • Acrescente o suco dos limões taiti e tempere com sal e pimenta-do-reino

# TOMATE para 4 pessoas

*1 dente de alho / 2 cebolinhas verdes / ½ pimenta vermelha fresca / 6 tomates maduros / um pouco de coentro fresco / suco de 1–2 limões taiti / óleo de oliva extravirgem / sal marinho e pimenta-do-reino moída na hora*

Descasque o alho • Apare as cebolinhas verdes • Descarte as sementes da pimenta vermelha • Pique tudo finamente em uma tábua • Acrescente os tomates à tabua e continue a picar e misturar tudo • Por último, pique também as folhas e os talos de coentro e junte-os à mistura • Ponha a salsa numa tigela e adicione o suco de 1 limão taiti, provando e adicionando mais se necessário • Acrescente aproximadamente a mesma quantidade de óleo de oliva extravirgem, depois mexa e tempere a gosto • Sirva com cunhas de limão taiti

# PESTO PICADO **para 4 pessoas**

*1 dente de alho / um bom punhado de manjericão fresco / um punhado de pinólis ou de amêndoas / um bom punhado de queijo parmesão ralado na hora / óleo de oliva extravirgem / suco de ½ limão / sal marinho e pimenta-do-reino moída na hora*

Descasque o alho e destaque as folhas de manjericão dos ramos • Pique o alho, depois junte os pinólis ou as amêndoas e pique também • Em seguida, acrescente as folhas e um pouco dos ramos mais finos do manjericão e continue a picar até que tudo fique bem fino • Coloque em uma tigela com o parmesão ralado e óleo de oliva extravirgem suficiente para formar uma pasta úmida • Adicione uma pequena espremida de suco de limão e prove • Se achar que ficaria melhor com um pouco de sal e pimenta-do-reino, acrescente

# AZEITONAS, TOMATES SECOS E SALSÃO (AIPO)
**para 4 pessoas**

*3 talos de salsão / 2 punhados de azeitonas pretas sem caroços / um punhado de tomates secos / 2 colheres (sopa) de vinagre balsâmico / óleo de oliva extravirgem / sal marinho e pimenta-do-reino moída na hora*

Elimine as folhas amarelas dos talos de aipo e reserve-as • Com tudo em uma mesma tábua, pique grosseiramente as azeitonas, os tomates secos e os talos de aipo e misture bem • Quando conseguir uma consistência que lhe agrade, transfira para uma tigela com todos os sucos que ficarem na tábua • Adicione as folhas de salsão, o vinagre balsâmico e um generoso fio de óleo de oliva extravirgem e mexa bem • Acrescente uma pitada de pimenta-do-reino – você provavelmente não precisará de sal, já que as azeitonas devem ser salgadas, mas prove e decida • Talvez você queira adicionar uma borrifada de água, para ajudar a combinar os sabores • Esta *salsa* pode ser servida imediatamente ou descansar por 1 hora antes.

# ÓLEOS

Óleos temperados podem ser preparados em poucos minutos e ficam perfeitos com qualquer tipo de carne ou fruto do mar. Uma ou duas colheres (sobremesa) regadas sobre um filé, uma costeleta de cordeiro ou um filé de peixe farão uma grande diferença. Eles também ficam muito bons com queijo muçarela. Os que aparecem neste capítulo são uma mistura de óleo temperado e molho. Assim você também pode utilizá-los em saladas.

## ÓLEO ASIÁTICO
*um pedaço pequeno de gengibre fresco / 1 colher (sopa) de molho de soja / suco de 1 limão taiti / 4 ramos de coentro fresco / ½ pimenta vermelha fresca / 6 colheres (sopa) de óleo de oliva extravirgem*

Descasque o gengibre e rale-o finamente em uma tigela • Adicione o molho de soja e esprema o suco do limão • Pique bem as folhas de coentro e a pimenta e adicione à tigela • Despeje óleo de oliva extravirgem suficiente apenas para cobrir o coentro e a pimenta e misture bem • Você pode servir este óleo assim ou passá-lo por uma peneira, espremendo bem os temperos para obter um óleo suave

## ÓLEO DE MANJERICÃO E LIMÃO
*8 colheres (sopa) de óleo de oliva extravirgem / suco de 1 limão-siciliano / alguns ramos de manjericão fresco / sal marinho e pimenta-do-reino moída na hora*

Para preparar este óleo você pode usar um almofariz, um processador de alimentos ou um liquidificador • Ponha juntos o óleo de oliva extravirgem, o suco de limão e o manjericão no liquidificador, com uma pitada de sal e pimenta-do-reino • Bata até obter um óleo uniforme • Você pode servi-lo assim ou passá-lo por uma peneira para que fique mais suave • Ele pode ser guardado por 2 dias

## ÓLEO DE ERVAS PICADAS
*um punhado de uma erva verde fresca ou uma mistura de manjericão, salsa e hortelã / 8 colheres (sopa) de óleo de oliva extravirgem / vinagre de vinho tinto / sal marinho e pimenta-do-reino*

Pique bem as ervas • Coloque-as em uma tigela com o óleo de oliva, uma borrifada de vinagre e uma pitada de sal e pimenta-do-reino • Misture bem antes de servir

## ÓLEO DE PIMENTA VERMELHA E HORTELÃ
*1 pimenta vermelha fresca / alguns ramos de hortelã fresca / 8 colheres (sopa) de óleo de oliva extravirgem / suco de ½ limão-siciliano / sal marinho e pimenta-do-reino moída na hora*

Corte a pimenta ao meio, descarte as sementes, se não quiser um óleo muito picante, e pique-a finamente • Destaque as folhas de hortelã e pique-as • Coloque a pimenta em uma tigela com o óleo de oliva, o suco de limão e uma pitada de sal e pimenta-do-reino • Misture bem antes de servir

# Peixes clássicos

Algumas pessoas têm pavor de cozinhar peixe. É uma vergonha que se faça tanto rebuliço por causa disso, mas receio que seja apenas mais um infortúnio a demonstrar como estamos desligados da nossa alimentação. Já perdi a conta de quantas pessoas encontrei que disseram: "Não, eu não gosto de peixe". Então, eu pergunto: "Mas você experimentou?". E a resposta é "salmão"– e dá a impressão de que eles apenas provaram um pedacinho de salmão seco, cozido à exaustão por 50 minutos. "Odeio peixe, eles fedem", me dizem, e outras coisas assim... Mas o peixe é uma incrível fonte de proteínas, e existem tantos sabores e texturas diferentes que você pode preparar de diversas formas – seja na brasa, na grelha, no forno ou no vapor, há um universo inteiro dos peixes a ser explorado.

Existem ótimos peixes vendidos nos balcões de congelados, por isso não pense que seja preciso sempre comprá-los frescos. Entretanto, ao comprar um peixe fresco, use o seu olfato – seus instintos geralmente estão certos; portanto, se o peixe estiver cheirando, não compre. A criação de salmão parece ter melhorado ultimamente, o que é uma boa notícia, já que as reservas naturais estão diminuindo. E já existem excelentes produtos entre os congelados, não apenas restos e pescados menos valorizados.

Um bom caminho das pedras para comprar peixe é conhecer o seu peixeiro. Depois de estabelecer um bom relacionamento com ele, o restante se ajusta. Mas os supermercados parecem estar fazendo um trabalho cada vez melhor, certamente com peixes congelados e pré-embalados. Você nunca deve ter pensado em comprar peixe *online*, e ficaria surpreso com o número de peixeiros e produtores que vende sua produção diretamente dessa maneira. Portanto, existem inúmeras opções e pouco espaço para tantas desculpas.

Para encurtar a história, todos nós precisamos comer mais peixe. Basta dizer que os japoneses têm a maior expectativa de vida do mundo, e eles comem principalmente peixe.

# BOLINHOS DE SALMÃO

Os bolinhos de peixe caseiro são mil vezes mais saborosos que os comprados prontos, e se você os preparar saberá que o que vai dentro deles não é o refugo que recheia as versões baratas industrializadas. Esta receita é tão saborosa que vale a pena dobrar ou triplicar as quantidades e congelar sobras para outro dia – apenas descongele-os bem antes de cozinhar.

**faz 8 bolinhos de peixe**

*sal marinho e pimenta-do-reino moída na hora*
*600 g de batatas*
*500 g de filés de salmão, com pele,*
  *sem escamas e sem espinhas*
*óleo de oliva*

*um punhado pequeno de salsa fresca*
*1 colher (sopa) de farinha, mais*
  *um pouco para polvilhar*
*1 ovo grande, de preferência orgânico ou caipira*
*2 limões*

### Para preparar os bolinhos de peixe

Coloque água salgada para ferver em uma panela grande • Descasque as batatas e pique-as em pedaços iguais • Esfregue os filés de salmão com óleo de oliva e uma pitada de sal e pimenta-do-reino • Ponha as batatas na panela e deixe ferver • Coloque o peixe em um escorredor, coberto com papel-alumínio, e acomode-o sobre a panela de batatas • Abaixe o fogo e cozinhe por 10 a 12 minutos, até que as batatas e o peixe estejam ambos cozidos • Retire o peixe do escorredor e reserve • Passe as batatas pelo escorredor, depois coloque-o novamente sobre a panela e deixe que elas sequem no vapor • Destaque as folhas de salsa e pique-as finamente, descartando os talos • Amasse as batatas e espalhe a massa ao redor das paredes da panela para que esfrie mais depressa • Remova toda a pele do peixe • Quando a batata estiver completamente fria, coloque-a em uma tigela e desmanche o peixe dentro dela com 1 colher (sopa) de farinha • Acrescente o ovo e a salsa com uma pitada de sal e pimenta-do-reino • Rale finamente a casca de limão por cima, depois amasse e misture bem

### Para fazer os bolinhos de peixe

Enfarinhe a superfície de trabalho • Divida a massa de bolinho de peixe em 8 porções • Molde levemente cada porção, formando círculos com cerca de 2 cm de espessura, polvilhando-os com farinha enquanto trabalha • Enfarinhe uma travessa e coloque os bolinhos de peixe nela • Se você quiser congelá-los, embrulhe-os em filme plástico e leve-os ao freezer • Caso contrário, ponha-os na geladeira por 1 hora antes de cozinhar, para que fiquem um pouco mais firmes

### Para cozinhar e servir

Coloque uma frigideira larga em fogo médio com dois fios de óleo de oliva extravirgem • Quando o óleo estiver quente, acrescente os bolinhos de peixe e cozinhe cada lado por cerca de 3 a 4 minutos ou até que fiquem crocantes e dourados – talvez seja preciso cozinhá-los em duas porções • Sirva-os imediatamente, com metades de limão e algumas ervilhas, brócolis ou salada • Estes bolinhos de peixe também combinam com o molho de tomate, azeitona, manjericão e pimenta vermelha da página 269

# PATÊ DE CAVALA DEFUMADA

Isto é uma coisa deliciosa. A pele da cavala é muito rica em sabor, por isso tente mantê-la quando preparar esta receita – você nem a perceberá, já que o peixe estará todo picado. Entretanto, se você não gosta da pele, pode removê-la.

**para 6–8 pessoas**
*400 g de filés de cavala defumada*
*4 cebolinhas verdes*
*2 limões-sicilianos*
*200 g de queijo cremoso (cream cheese)*

*2 colheres (sopa) de raiz-forte cremosa*
*sal marinho e pimenta-do-reino moída na hora*
*1 pão ciabatta grande ou outro*
  *pão de casca crocante*
*2 caixinhas de broto de agrião*

### Para preparar o patê
Se quiser remover a pele de cada filé de cavala, faça isso antes de tudo • Apare e fatie finamente as cebolinhas • Rale finamente a casca de um dos limões, depois corte-o ao meio • Coloque o queijo cremoso em uma tigela grande com a raiz-forte • Pique bem a cavala, as cebolinhas e as raspas da casca de limão sobre uma tábua, misturando tudo até obter uma pasta grossa • Acrescente a pasta à tigela com o queijo cremoso e a raiz-forte, tempere a gosto com sal e pimenta, esprema por cima o suco do limão cuja casca você raspou e misture de novo

### Para servir
Fatie o pão e toste as fatias • Sirva o patê de cavala sobre o pão tostado quente, com um pouco de broto de agrião e o segundo limão cortado em cunhas para esprema por cima – delicioso!

# TORTA DE PEIXE

Esta é uma torta de peixe muito simples, que não exige escaldar o peixe ou preparar um tedioso molho branco. Punhados de bons vegetais perfumados são ralados e adicionados rapidamente à torta. Você pode utilizar o peixe que preferir, deixando este prato mais ou menos sofisticado. Se você gosta de uma torta de peixe cremosa, sinta-se à vontade para juntar algumas colheres (sopa) de *crème fraîche* ao peixe.

**para 4–6 pessoas**

sal marinho e pimenta-do-reino moída na hora
1 kg e batatas
1 cenoura
2 talos de salsão (aipo)
150 g de um bom queijo cheddar
1 limao-siciliano
½ pimenta vermelha fresca

4 ramos de salsa fresca
300 g de filés de salmão com a pele e sem espinhas
300 g de filés de hadoque defumado
    não-seco, sem a pele e sem espinhas
125 g de camarões grandes, crus, descascados
óleo de oliva
opcional: um bom punhado de espinafre picado
opcional: dois tomates maduros cortados em quatro

## Para preparar a torta de peixe

Preaqueça o forno a 200°C e ponha uma panela com água salgada para ferver • Descasque as batatas e corte-as em pedaços de 2 cm • Quando a água estiver fervendo, acrescente as batatas e cozinhe por cerca de 12 minutos, até que fiquem tenras • Enquanto isso, pegue uma assadeira ou uma travessa refratária funda e coloque um ralador de pé sobre ela • Descasque a cenoura • Rale o salsão, a cenoura e o *cheddar* no lado mais grosso do ralador • Use o lado mais fino para obter as raspas da casca do limão • Rale ou pique finamente a pimenta vermelha • Pique finamente as folhas e os talos de salsa e adicione-os à assadeira

## Para cozinhar e servir

Corte o salmão e o hadoque em pedaços do tamanho de um bocado e adicione à assadeira junto com os camarões • Esprema por cima o suco do limão do qual você havia retirado as raspas (sem sementes, por favor!), regue com o óleo de oliva e adicione uma boa pitada de sal e pimenta-do-reino • Se quiser acrescentar espinafre ou tomates, faça agora • Misture tudo muito bem • Enquanto isso, as batatas já ficaram cozidas, portanto passe-as pelo escorredor e coloque-as de volta na panela • Regue as batatas com dois fios generosos de óleo de oliva e adicione uma pitada de sal e pimenta-do-reino • Esmague até obter uma massa macia e uniforme, depois espalhe-a uniformemente por cima dos pedaços de peixe e vegetais • Leve ao forno preaquecido por cerca de 40 minutos, ou até que esteja completamente cozida, crocante e dourada • Sirva bem quente com *ketchup*, feijões assados, vegetais cozidos no vapor ou uma adorável salada verde

## SIMON ATKINSON
VENDEDOR

Até os 36 anos, nunca havia cozinhado nada, nem mesmo um purê de batatas. E o único tipo de peixe que havia comido era empanado. Assim que me passaram a receita da torta de peixe, eu a preparei e provei. Havia todos aqueles sabores e eu pensei: "Uau, eu gosto disto". Agora sinto que as minhas papilas gustativas perderam muito tempo.

# KEDGEREE

Este é um prato que eu gosto de comer tanto no café da manhã quanto no almoço. Não se desanime por ter de escaldar o peixe, descascar os ovos cozidos e cozinhar o arroz – sim, é um pouco de trabalho, mas leva apenas uns 20 minutos.

**para 4 pessoas**

*sal e pimenta-do-reino moída na hora*

*250 g de arroz basmati*

*500 g de filés de hadoque defumado*
*não-seco, sem a pele e sem espinhas*

*4 ovos grandes*

*2 folhas de louro*

*opcional: ½ pimenta vermelha fresca*

*um punhado pequeno de coentro fresco*

*1 cebola média*

*2 limões-sicilianos*

*óleo de oliva*

*2 colheres (sopa) de* curry

*um punhado grande de ervilhas*
*frescas ou congeladas*

*iogurte natural para servir*

### Para preparar o kedgeree

Coloque 2 panelas grandes com água salgada para ferver • Adicione o arroz a uma delas e o peixe, os ovos e as folhas de louro à outra • Deixe que fervam, depois baixe para fogo brando • Cozinhe o arroz de acordo com as instruções do pacote e o peixe e os ovos por cerca de 6 minutos • Fatie finamente a pimenta, se for utilizá-la • Destaque as folhas de coentro e coloque-as na geladeira até o momento necessário e pique grosseiramente os talos • Descasque, corte ao meio e fatie finamente a cebola • Corte um dos limões ao meio

### Para cozinhar

Coloque uma caçarola em fogo médio com dois fios de óleo de oliva • Acrescente a cebola, a pimenta (se for utilizar) e os talos de coentro e cozinhe em fogo brando por 5 minutos • Misture com o *curry* e as ervilhas e tempere com sal e pimenta-do-reino • Cozinhe o peixe e os ovos por 6 minutos e transfira-os, então, com a escumadeira para uma travessa – o peixe se desmanchará em grandes pedaços e você conseguirá retirar facilmente toda pele e espinha que houver neles • Deixe os ovos esfriarem um pouco, depois descasque-os • Escorra o arroz, acrescente-o à mistura de cebola seguido das lascas de peixe e de uma boa espremida de suco de limão • Corte os ovos em quatro e acrescente-os à panela • Mexa tudo gentilmente com uma colher de pau • Tempere com um pouco mais de suco de limão, sal e pimenta-do-reino

### Para servir

Salpique com as folhas de coentro e leve à mesa com um pote de iogurte natural e um limão cortado em cunhas

# SALMÃO *EN CROÛTE*

O termo *en croûte* descreve o prato que é embrulhado em massa e assado. É bom ter um pedaço uniforme de salmão, por isso peça ao peixeiro um filé da parte superior do peixe e não um pedaço do rabo. Fique à vontade para experimentar esta receita com outros peixes, como truta, hadoque ou bacalhau.

**para 4–6 pessoas**

*farinha de trigo para polvilhar*
*500 g de massa folhada com manteiga (pois existem algumas que usam gordura vegetal hidrogenada)*
*1 filé de salmão sem espinhas*
*óleo de oliva*
*sal e pimenta-do-reino moída na hora*

*4 colheres (sopa) de pasta tapenada de azeitonas pretas*
*um punhado pequeno de manjericão fresco*
*2 tomates maduros*
*1 bola (150 g) de queijo muçarela*
*1 ovo grande, de preferência orgânico ou caipira*

### Para preparar o salmão *en croûte*

Preaqueça o forno a 200°C • Polvilhe com farinha uma assadeira larga, a superfície de trabalho e o rolo, e abra a massa folhada, polvilhando-a também com farinha enquanto trabalha, até que ela fique do tamanho da assadeira (cerca de 30 cm x 15 cm) • Acomode a massa na assadeira • Regue o filé de salmão com óleo de oliva, tempere com uma pitada de sal e pimenta-do-reino e acomode-o em cima da massa, com a pele para baixo • Cubra-o com uma fina e uniforme camada de tapenada • Destaque as folhas de manjericão e coloque-as sobre o peixe • Fatie os tomates e coloque-os sobre o manjericão • Rasgue a muçarela em pedaços e espalhe por cima • Polvilhe com sal e pimenta-do-reino e regue com óleo de oliva • Junte as laterais da massa e aperte-as para que se unam • Quebre o ovo em uma xícara e bata-o com um garfo, depois use um pincel para passá-lo ao longo das beiradas de massa

### Para cozinhar e servir

Acomode a assadeira na prateleira mais perto do fundo do forno preaquecido e ponha outra assadeira vazia na prateleira de cima para proteger o peixe do excesso de calor • Cozinhe por 35 minutos, depois remova do forno e sirva no centro da mesa para que todos possam cortar uma fatia • Fica ótimo com qualquer vegetal cozido no vapor ou uma adorável salada verde (a história de sempre!)

# PAELLA

Este tradicional prato da Espanha é um sonho, brilhante com sua mistura de carne e peixe — e o sabor picante do chouriço agrega todos os ingredientes do prato e o torna algo realmente especial. Fique à vontade para usar o peixe e os frutos do mar que preferir — a *paella* fica sempre incrível, seja com o peixe mais caro, seja com o mais barato.

**para 6 pessoas**
*400 g de frutos do mar diversos (mexilhão, camarão descascado, lula, marisco e peixe branco)*
*um punhado pequeno de salsa fresca*
*4 coxas de frango sem pele e desossadas, de preferência caipiras ou orgânicas*
*100 g de chouriço*
*4 tiras de bacon defumado, de preferência caipira ou orgânico*

*1 cebola média*
*2 dentes de alho*
*1 cubo de caldo de galinha, de preferência orgânico*
*óleo de oliva*
*opcional: uma pitada de açafrão*
*400 g de arroz de paella*
*sal marinho e pimenta-do-reino moída na hora*
*2 punhados de ervilhas congeladas*
*2 limões-sicilianos*

### Para preparar a paella
Esfregue os mexilhões e mariscos para lavá-los • Se utilizar lula ou peixe branco, fatie-os em pedaços de 3 cm • Destaque e pique as folhas de salsa e pique grosseiramente os talos • Corte as coxas de frango em pedaços do tamanho de uma mordida • Fatie o chouriço e o *bacon* • Descasque, corte ao meio e pique grosseiramente a cebola e o alho • Despeje 1,5 litro de água fervente em uma jarra ou panela, acrescente o cubo de caldo e mexa até dissolvê-lo

### Para cozinhar e servir
Ponha uma caçarola grande em fogo alto e regue-a com um pouco de óleo de oliva • Adicione a salsa, o frango, o chouriço e o *bacon* e mexa tudo • Cozinhe por cerca de 5 minutos, ou até dourar a carne de frango • Acrescente a cebola e o alho à panela e cozinhe por mais 5 minutos • Adicione o açafrão (se for utilizá-lo) e o arroz com uma pitada de sal e pimenta-do-reino e dê uma boa mexida • Despeje o caldo quente e deixe ferver, mexendo e raspando todo o creme que se depositar no fundo da panela • Tampe a panela e cozinhe o arroz em fogo brando, de acordo com as instruções da embalagem • Quando o arroz estiver quase pronto, acrescente os frutos do mar e as ervilhas e depois o suco de 1 limão-siciliano • Cozinhe por mais 5 minutos, prove e acrescente sal e pimenta-do-reino e um pouco de água, se achar necessário — não deixe o arroz ficar muito seco • Leve à mesa com algumas cunhas de limão e deixe que todos se sirvam

# SOPA DE CAMARÃO E MILHO VERDE

Este prato é inspirado em uma clássica sopa norte-americana, *clam chowder* (sopa de marisco – N. do T.). Nesta versão eu uso camarões grandes, mas nos Estados Unidos o *clam chowder* é feito com potes inteiros de mariscos pré-cozidos.

**para 4–6 pessoas**

*1 alho-poró grande*
*500 g de batatas*
*1 cubo de caldo de galinha, de preferência orgânico*
*óleo de oliva*
*6 tiras de* bacon *defumado, de preferência orgânico*
*óleo de oliva extravirgem*

*250 g de milho congelado*
*250 g de camarões-rosa grandes, crus, descascados*
*285 ml de creme de leite*
*sal marinho e pimenta-do-reino moída na hora*
*1 pimenta vermelha fresca*
*6 cream crackers*

**Para preparar a sopa**
Corte as extremidades do alho-poró, depois corte-o em quatro partes ao comprido e lave em água corrente, fatiando finamente na diagonal • Descasque as batatas e pique-as em pedaços de 2 cm • Despeje 1 litro de água fervente em uma jarra, acrescente o cubo de caldo e mexa até dissolvê-lo

**Para cozinhar**
Coloque uma panela em fogo alto e regue-a levemente com óleo de oliva • Fatie as tiras de *bacon* e frite-as na panela, até que fiquem douradas e bem crocantes e toda a gordura derreta • Remova o *bacon* e transfira-o para um prato, deixando a gordura na panela • Adicione o alho-poró e as batatas à panela e dê uma boa mexida • Cozinhe por 3 a 5 minutos, até que o alho-poró tenha amolecido • Acrescente o milho e os camarões • Despeje o caldo quente na panela com o creme • Adicione uma boa pitada de sal e pimenta-do-reino e mexa • Deixe ferver, baixe a chama e cozinhe em fogo brando por 10 minutos • Enquanto isso, corte a pimenta vermelha ao meio, descarte as sementes e pique-a finamente • Quebre grosseiramente os *cream crackers* e acomode-os ao lado do *bacon* no prato • Retire a sopa do fogo e use um liquidificador para batê-la devagar até obter uma textura suave, mas com pedaços perceptíveis • Tempere mais uma vez a gosto

**Para servir**
Transfira a sopa para uma sopeira larga e regue com óleo de oliva extravirgem • Leve a sopeira à mesa, polvilhe com o *bacon*, os *cream crackers* e a pimenta vermelha picada e mande ver!

# Cafés da manhã energéticos

Estudos recentes mostram que com uma boa refeição pela manhã você estará preparado para enfrentar o dia, além de melhorar sua concentração e assim ajudá-lo a reter mais informação – o que é ótimo, no trabalho e na escola –, mas também a controlar seu peso. Quem toma café da manhã é mais propenso a manter o peso estável ou mesmo a perdê-lo de modo regular do que quem evita comer o desjejum e exagera depois. Tanto quanto eu, desde criança você certamente tem ouvido que precisa tomar um bom café da manhã.

Neste capítulo busco aquilo que pode fazê-lo feliz, ou seja, o sabor. Você encontrará aqui um punhado de cafés da manhã que, além de saudáveis, são muito deliciosos; o tipo de coisa que eu dou aos meus filhos regularmente, como uma ótima receita de mingau, com diferentes sugestões para acrescentar sabores. Passo por todos os métodos de preparar ovos e também apresento a receita de uma omelete fantasticamente simples, além de sugestões de como variá-la. Há também uma versão mais saudável, acredite, do *breakfast* inglês completo (*Full Monty English Breakfast*), uma receita de panqueca que não exige pesar nenhum ingrediente e outra que mostra a simples arte de fazer com que uma fruta do dia a dia fique mais atrativa no prato. Por último, mas não menos importante, mostro alguns dos *smoothies* maravilhosos da minha mulher, Jools.

Só mais um coisa... se você investir um tempinho ensinando seus filhos, de seis, oito ou dez anos, ou com a idade que você achar mais apropriada (comigo foi aos oito anos), a preparar panquecas ou ovos, será realmente um bom investimento, pois assim que dominarem a técnica, eles poderão preparar o café da manhã para você. Hora do retorno!

# UM CAFÉ DA MANHÃ MAIS SAUDÁVEL

Atualmente, todo mundo se esforça para ter um café da manhã mais saudável. Mas, ainda que iogurte, frutas e mingau sejam ótimos, no sábado ou no domingo os ingleses continuam amando um *Full Monty English Breakfast*, o Café da Manhã Inglês Completo. É legítimo achar que um monte de fritura não é saudável, mas se você remover a gordura do *bacon*, usar linguiças com bastante carne e tirar a manteiga da torrada, verá quão saudável será este desjejum em comparação com *muffins*, folhados e *croissants*. Pepare o café da manhã inglês com menos de 500 calorias fazendo o que sugiro a seguir.

## para 2 pessoas

2 tomates maduros

2 cogumelos prataiolo *(ou outro de sua preferência)*

4 tiras de bacon *defumado, de preferência orgânico ou caipira*

2 linguiças *de boa qualidade, de preferência orgânicas ou caipiras*

*sal marinho e pimenta-do-reino moída na hora*

*óleo de oliva*

200 g de feijão *cozido em conserva com baixo teor de sal e açúcar*

4 fatias de pão *integral*

2 ovos *bem frescos, de preferência orgânicos ou caipiras*

### Para preparar o café da manhã completo

Preaqueça o *grill* na temperatura mais alta • Pegue um suporte vazado de grelhar e coloque-o sobre uma assadeira • Corte os tomates ao meio • Apare os talos dos cogumelos • Retire a gordura do *bacon* • Corte as linguiças ao comprido e abra-as de modo que fiquem achatadas – assim, elas cozinharão no mesmo tempo que as outras coisas e parte da gordura será eliminada • Coloque os tomates, os cogumelos e as linguiças no suporte de grelhar, com o lado cortado dos tomates e o lado dos talos dos cogumelos voltados para cima • Polvilhe com um pouco de sal e pimenta-do-reino • Esfregue-os ligeiramente com um pouco de óleo de oliva

### Para cozinhar

Acomode a assadeira sob o *grill* quente por 5 minutos e coloque uma panela de água para ferver • Depois de 5 minutos, adicione o *bacon* à assadeira e vire as linguiças • Leve tudo de volta para debaixo do *grill* e cozinhe por mais 4 a 5 minutos (dependendo da intensidade da temperatura), até que o *bacon* esteja crocante • Enquanto isso, coloque os feijões para esquentar em uma pequena panela em fogo médio • Ponha as fatias de pão na torradeira • Quebre os ovos numa panela de água em fervura baixa e escalde-os por 2 a 3 minutos • Para checar se eles estão prontos, remova cuidadosamente um deles da água com uma escumadeira e toque-o gentilmente com o dedo • Se ele ainda estiver muito mole, deixe-o mais 1 ou 2 minutos na água • Assim que os ovos ficarem como você gosta, retire-os da panela com a escumadeira e escorra-os em papel de cozinha

### Para servir

Divida entre dois pratos de servir e polvilhe os ovos com uma pitadinha de sal e pimenta-do-reino

# ENTRE NO MINGAU

O mingau de cereais, preparado com água ou leite, é um café da manhã inglês clássico, para o qual você vai usar aveia em flocos. Existem muitos ingredientes além de leite e açúcar para adicionar ao mingau e deixá-lo mais saboroso. Aqui está uma receita básica, seguida de quatro das minhas combinações de sabor favoritas.

**para 4 pessoas**
*200 g de aveia em flocos*

*750 ml de leite ou de leite de soja ou de  água*
*sal marinho*

### Para preparar o mingau básico
Numa panela em fogo médio, ponha a aveia e o leite ou a água com uma pitada de sal marinho • Deixe em uma fervura baixa por 5 a 6 minutos, mexendo o máximo que puder • Enquanto ele estiver borbulhando na panela, escolha uma das combinações de sabor abaixo e prepare os ingredientes • Um ou dois minutos antes de o mingau ficar pronto, adicione o sabor escolhido • Se você prefere o mingau mais líquido, dilua-o com um pouco mais de leite ou água até chegar à consistência desejada

### Banana e canela
*2 bananas maduras fatiadas finamente*
*½ colher (chá) de canela em pó*
*2 colheres (sopa) de sementes de papoula*
*2–4 colheres (sopa) de mel líquido, ou a gosto*
*um punhadinho de flocos de amêndoas*
*   tostados ou de coco ralado seco*

### Banana, whisky e noz-moscada
*2 bananas maduras amassadas*
*2 doses (50 ml) de whisky (para os*
*   adultos, não para as crianças!)*
*¼ de noz-moscada ralada finamente*
*mel líquido, a gosto*

### Amora e maçã
*2 maçãs sem a parte do centro e cortadas em cubos*
*uma bolota grande manteiga*
*um punhado pequeno de aveia em flocos*
*1 colher (sopa) de mel líquido,*
*   mais um pouco, a gosto*
*2 punhados de amoras frescas ou congeladas*
Frite as maçãs em uma panela com a manteiga até que fiquem tenras e douradas • Adicione a aveia e o mel e cozinhe por 1 minuto • Esmague as amoras dentro do mingau • Sirva com a aveia e as maçãs por cima

### Chocolate amargo e geleia
###    de laranja-amarga
*50 g de chocolate com 70% de*
*   cacau ralado finamente*
*4 colheres (sopa) cheias de geleia de laranja-amarga*

# PANQUECAS COM IOGURTE TROPICAL E MANGA

Estas são as panquecas mais fáceis de preparar – você não precisa de balança para pesar os ingredientes, só de uma xícara, desde que meça a farinha e o leite com a mesma xícara. Utilizando farinha com fermento, as panquecas ficarão mais ao estilo norte-americano, fofas e grossas. A farinha sem fermento resulta em panquecas finas, mais parecidas com os crepes europeus. Ficam ótimas polvilhadas com açúcar e borrifadas com suco de limão ou regadas com *maple syrup* (xarope feito da seiva de bordo, uma árvore do gênero Acer, muito consumido no Canadá – N. do T.) e servidas com *bacon* crocante. Experimente juntar um punhado de mirtilo (*blueberry*) à massa, se estiver fazendo panquecas à moda norte-americana. Gosto também com iogurte de coco, que você pode preparar de acordo com a receita abaixo e deixar na geladeira.

**para 4 pessoas**

Para o iogurte com sabor
*2 bananas maduras*
*um punhado de coco seco ralado*
*250 g de iogurte natural*
Para as panquecas
*1 ovo, de preferência caipira ou orgânico*

*1 xícara de farinha com fermento*
*1 xícara de leite*
*sal marinho*
*25 g de manteiga*
*2 mangas maduras*
*1 limão taiti*

## Para preparar o iogurte e a massa de panqueca
Descasque as bananas, coloque-as em uma tigela larga e amasse-as com um garfo • Acrescente o coco e o iogurte, misture bem e reserve para começar a preparar as panquecas • Quebre o ovo em uma tigela grande • Acrescente a farinha, o leite e uma pitada de sal marinho • Bata tudo junto até obter uma massa homogênea • Descasque a manga e corte-a em cubos grandes

## Para cozinhar as panquecas
Coloque uma frigideira larga em fogo médio, com metade da manteiga • Quando a frigideira estiver quente, use uma concha para despejar a massa dentro dela • Cada concha de massa dá 1 panqueca – são bem pequenas, de modo que você pode preparar várias de cada vez • Cozinhe por 1 a 2 minutos e use uma espátula para virar assim que começarem a dourar o fundo e criar bolhas na superfície • Quando ambos os lados estiverem cozidos, coloque a panqueca num prato, seque bem a frigideira com papel de cozinha, adicione o restante da manteiga e continue até que toda a massa tenha sido utilizada

## Para servir
Sirva as panquecas imediatamente, cobertas com uma porção de iogurte com coco, os cubos de manga e cunhas de limão

## NATASHA WHITEMAN
MÃE SOLTEIRA

Eu era um desastre na cozinha — queimava tudo. Comia com meus filhos sempre a mesma coisa, hambúrgueres e *kebabs*, seis ou sete dias na semana. Nos meus sonhos, tinha uma imagem de uma família feliz ao redor da mesa, comendo comida de verdade. Depois que me passaram um punhado de receitas, meu sonho se tornou realidade. Agora tenho até o meu próprio canteiro de vegetais.

# SMOOTHIES DE FRUTAS CONGELADAS

*Smoothies* não são apenas saborosos — sua quantidade de nutrientes os torna também perfeitos para o café da manhã. Adicionar amêndoas e nozes é ótimo, pois ajuda a desacelerar a absorção do açúcar das frutas pela corrente sanguínea, o que dará a você mais energia por um período maior. A grande vantagem das frutas congeladas é que elas foram colhidas em seu ápice, no momento certo, e não forçadas a crescer fora da estação, como muitas das frutas "frescas" que nos oferecem hoje em dia. Também são mais baratas e convenientes — e se manterão no *freezer* por meses.

Estes *smoothies* ficam melhores quando preparados em liquidificador (como uma vitamina. N. do T.) e não no processador, já que assim ganharão uma textura sedosa. Utilize um único tipo de fruta ou uma mistura delas.

**faz 2 copos**

1 banana madura

1 copo de fruta congelada da sua escolha: manga, groselha-preta ou morango

2 colheres (sopa) cheias de iogurte natural

um punhadinho de aveia

um punhadinho de nozes diversas

1 copo de leite de soja, ou de leite desnatado ou de suco de maçã

opcional: mel líquido, a gosto

Descasque e fatie a banana e coloque-a no liquidificador com a fruta congelada e o iogurte • Processe e adicione a aveia e as nozes • Acrescente o leite de soja, o leite desnatado ou o suco de maçã e processe de novo até que fique uniforme • Se achar que ficou muito espesso, adicione um pouco mais de leite ou de suco e bata de novo • Mexa e depois prove • Raramente você precisa adoçar um *smoothie* feito com frutas congeladas, mas, se quiser, acrescente um pouco de mel

# OVOS QUENTES para 2 pessoas

Ovo quente e um pedaço de pão para mergulhar nele estão entre as melhores coisas do mundo. O tempo de cozimento é que determina se o ovo vai ficar de acordo com a sua preferência, mole ou bem cozido. Adicionar uma pequena pitada de sal à água ajuda a evitar que o ovo se quebre.

Encha com **água** três quartos de uma panela pequena e deixe em fervura alta • Adicione uma boa pitada de **sal** à água e, com uma colher, mergulhe nela 4 **ovos caipiras ou orgânicos** e retire-os em seguida (isso ajuda a evitar o choque entre a temperatura do ovo na geladeira e a água, que às vezes faz com que se quebrem) • Afunde-os lentamente na água para que as cascas não se rompam ao bater no fundo da panela

Siga estes tempos de cozimento, de acordo com a sua preferência:
• **5 minutos** para ovo mole
• **7½ minutos** para ovo semifirme
• **10 minutos** para ovo bem cozido

*my timings work with a large egg!*

**meus tempos são para um ovo grande!**

**5 min**

**7½ min**

**10 min**

# OVOS FRITOS para 2 pessoas

Ovos fritos são deliciosos e simples. Existem diversas maneiras de fritá-los, mas a minha favorita pede o uso de 1 cm de óleo de oliva na frigideira. Ao remover o ovo com uma escumadeira e secá-lo com papel de cozinha, a maior parte do óleo desaparecerá.

Ponha uma frigideira em fogo médio, com 1 cm de **óleo de oliva** • Quebre nela **4 ovos grandes, caipiras ou orgânicos** • A medida que o óleo esquenta, a cor dos ovos vai se alterando • Quando ficarem brancos, despeje colheradas de óleo quente sobre eles para fritá-los uniformemente • Se o óleo espirrar, baixe o fogo • Se ele esquentar muito rapidamente, os ovos ficarão crocantes e cheios de bolhas em vez de macios e sedosos, como devem ser • Quando estiverem prontos, tire a frigideira do fogo, remova-os com uma escumadeira, acomode-os em um prato e toque-os com um pedaço de papel de cozinha para absorver o excesso de óleo • Sirva sobre **torrada** – não precisa de manteiga –, com uma pitada de **sal marinho** e **pimenta-do-reino moída na hora**

# OVOS MEXIDOS para 2 pessoas

Ovos mexidos podem compor um ótimo café da manhã se você lembrar de alguns pontos-chaves: utilize sempre ovos frescos, caipiras ou orgânicos, manteiga de boa qualidade e sempre mantenha os ovos se movimentando lentamente em fogo baixo, para que fiquem cremosos e amanteigados.

Quebre **4 ovos orgânicos ou caipiras** em uma tigela, adicione uma pitada de **sal marinho e pimenta-do-reino moída na hora** e bata-os com um garfo • Coloque uma bolota de **manteiga** numa panela pequena em fogo baixo • Derreta-a lentamente até que comece a espumar • Despeje os ovos na panela e mexa-os devagar com uma colher de pau ou uma espátula para poder alcançar as laterais da panela • Enquanto isso, coloque um pouco de **pão** na torradeira • O cozimento termina quando os ovos estiverem macios, levemente moles e não completamente cozidos, já que o calor continuará a cozinhá-los fora do fogo • Sirva-os sobre torrada com manteiga

P.S. Você pode picar ervas frescas, como cebolinha ou manjericão, e colocá-las na mistura de ovos. Na Itália, eles gostam de acrescentar uma pequena colher de chá de queijo parmesão ralado bem fino e, no México, você encontrará versões com um pouco de *chilli* (pimenta vermelha)

# OVOS POCHÉ para 2 pessoas

Um ovo *poché* perfeitamente cozido é uma das coisas mais brilhantes do mundo! Pode parecer um pouco complicado acertar o seu preparo, mas se você utilizar o ovo mais fresco possível, não deverá ter problemas. Um jeito de saber se um ovo é fresco é quebrá-lo em um pires e olhar a gema: se ficar levantada e a clara não estiver aguada, tudo bem, é fresquíssimo.

Encha uma caçarola com **água fervente** de uma chaleira • Leve a uma fervura branda em fogo médio, adicione uma pitada de sal marinho, depois quebre um dos **4 ovos grandes, orgânicos ou caipiras**, em uma xícara e despeje-o gentilmente na água • Repita a operação com os outros ovos • (você verá como eles começam a cozinhar imediatamente) • Um ovo poché bem macio deverá levar cerca de 2 minutos e um ovo um pouco mais firme precisará de 4 minutos (dependendo do tamanho e da temperatura dos ovos e do tamanho da panela) • Para checar se estão prontos, remova um deles da panela com uma escumadeira e pressione-o levemente com uma colher (chá) • Se o ovo estiver muito macio, coloque-o de volta na água por mais 1 ou 2 minutos • Quando estiverem prontos, coloque-os sobre um pedaço de papel de cozinha • Sirva-os sobre **torradas com manteiga** e polvilhados com **sal marinho** e **pimenta-do-reino moída na hora**

# OMELETES

Omeletes são saborosas e super-rápidas de preparar. Uma omelete simples é deliciosa, mas se você gosta de acrescentar sabores, algumas das combinações que eu apresento nas próximas páginas são boas, seja no café da manhã, seja no almoço ou mesmo no jantar, naquelas noites em que você não tem vontade de ficar na cozinha por muito tempo.

**para 1 pessoa**
*Para cada omelete você precisará de:*
*2–3 ovos grandes, de preferência*
  *caipiras ou orgânicos*

*sal marinho e pimenta-do-reino moída na hora*
*uma bolota de manteiga*
*um punhadinho de queijo* cheddar *ralado*

### Para preparar uma omelete simples e básica
Quebre os ovos em uma tigela com uma pitada de sal e pimenta-do-reino • Bata-os bem com um garfo • Coloque uma frigideira pequena (omeleteira) em fogo baixo e deixe esquentar • Acrescente a bolota de manteiga • Assim que derreter e estiver borbulhando, acrescente os ovos e balance um pouco a frigideira para espalhá-los uniformemente por toda a superfície • Quando a omelete começar a cozinhar e se firmar, mas ainda tiver um pouco de ovo cru por cima, polvilhe o queijo (às vezes, eu ralo o queijo diretamente sobre a omelete) • Com uma espátula, solte as beiradas da omelete e depois dobre-a ao meio • Quando a parte de baixo começar a ficar marrom, retire a frigideira do fogo e escorregue a omelete para um prato

## Omelete de bacon

Quebre os **ovos** numa tigela com uma pitada de **sal e pimenta-do-reino** • Bata-os bem com um garfo • Fatie finamente 2 tiras de **bacon defumado** e ponha-os para fritar em uma frigideira já quente com um pequeno fio de óleo de oliva • Quando o *bacon* estiver crocante, baixe para fogo médio e acrescente os ovos • Balance um pouco a frigideira para espalhá-los por toda a superfície • Quando a omelete começar a cozinhar e se firmar, mas ainda tiver um pouco de ovo cru por cima, polvilhe com queijo **cheddar** • Com uma espátula, solte as beiradas da omelete e depois dobre-a ao meio • Quando a parte de baixo começar a ficar marrom, retire a frigideira do fogo e escorregue a omelete para um prato

## Omelete para ressaca

Quebre os **ovos** numa tigela com uma pitada de **sal e pimenta-do-reino** • Bata-os bem com um garfo • Fatie finamente ½ **pimenta vermelha fresca** • Retire a carne de 1 gomo de **linguiça de boa qualidade,** de preferência caipira ou orgânica, e esmigalhe-a dentro de uma frigideira quente com um pequeno fio de **óleo de oliva** e uma pitada de sal e pimenta-do-reino • Frite por alguns segundos até dourar, depois baixe para fogo médio e acrescente ½ colher (chá) de **sementes de erva-doce** (funcho) esmagadas, a pimenta vermelha e os ovos • Balance um pouco a frigideira para espalhá-los uniformemente • Quando a omelete começar a cozinhar e se firmar, mas ainda tiver um pouco de ovo cru por cima, polvilhe com queijo **cheddar** • Com uma espátula, solte as beiradas da omelete e depois dobre-a ao meio • Quando a parte de baixo começar a ficar marrom, retire a frigideira do fogo e escorregue a omelete para um prato

## Omelete de tomate e manjericão

Quebre os **ovos** numa tigela com uma pitada de **sal e pimenta-do-reino** • Bata-os bem com um garfo • Destaque as folhas de 2 ou 3 ramos de **manjericão fresco** e rasgue-as • Corte um punhado de **tomates-cereja** ao meio e coloque-os em uma frigideira quente com uma bolota de **manteiga,** um fio de **óleo de oliva** e uma pitada de sal e pimenta-do-reino • Frite, sem parar de mexer, por cerca de 1 minuto, depois baixe para fogo médio e salpique com as folhas de manjericão • Acrescente os ovos e balance um pouco a frigideira • Quando a omelete começar a se firmar, mas ainda tiver um pouco de ovo cru por cima, polvilhe com queijo **cheddar** • Com uma espátula, solte as beiradas da omelete e dobre-a ao meio • Quando a parte de baixo começar a ficar marrom, retire a frigideira do fogo e escorregue a omelete para um prato

## Omelete de cogumelo

Quebre os **ovos** numa tigela com uma pitada de **sal e pimenta-do-reino** • Bata-os bem com um garfo • Pique 2 ou 3 **cogumelos** de sua preferência e coloque-os em uma frigideira com uma bolota de **manteiga,** um fio de **óleo de oliva** e uma pitada de sal e pimenta-do-reino • Frite, mexendo, até dourar, depois baixe um pouco o fogo • Acrescente os ovos e balance a frigideira • Quando a omelete começar se firmar, mas ainda tiver um pouco de ovo cru por cima, polvilhe com queijo **cheddar** • Com uma espátula, solte as beiradas da omelete e depois dobre-a ao meio • Quando a parte de baixo começar a ficar marrom, retire a frigideira do fogo e escorregue a omelete para um prato

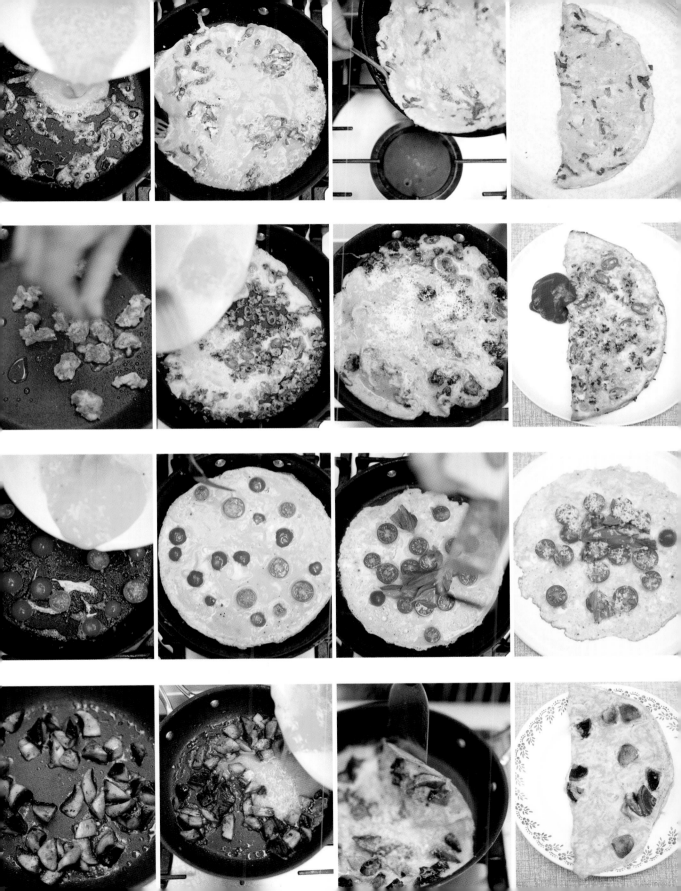

# GRANOLA

A granola é um excelente ingrediente para juntar todos os tipos de frutas secas, nozes e sementes que, caso contrário, você não incluiria em sua alimentação. Por causa da variedade de ingredientes, a granola tem uma textura incrível e é muito saborosa, especialmente com um toque de canela. Fica brilhante com leite frio no café da manhã.

## faz o suficiente para encher um pote grande

*200 g de aveia em flocos*
*150 g de castanhas diversas (avelãs, amêndoas, nozes, castanhas-de-caju)*
*50 g de sementes diversas (girassol, papoula, abóbora, gergelim)*
*50 g de coco seco ralado*
*1 colher (chá) de canela em pó*
*150 g de frutas secas (uvas-passas, damascos ou outras de sua preferência)*
*5 colheres (sopa) de mel líquido*
*5 colheres (sopa) de óleo de oliva*

## Para preparar a granola

Preaqueça o forno a 180°C • Coloque os ingredientes secos da granola, incluindo o coco e a canela, mas não as frutas secas, em uma assadeira • Misture bem e faça uma camada uniforme • Regue com o mel e um pouco de óleo de oliva e mexa de novo • Leve a assadeira ao forno preaquecido por 25 a 30 minutos • A cada 5 minutos, retire a assadeira do forno e mexa a granola, depois passe uma colher de pau por cima para formar uma camada uniforme e leve-a de volta ao forno • Enquanto estiver tostando, pique grosseiramente as frutas secas maiores • Quando a granola estiver dourada, retire-a do forno, misture com as frutas secas e deixe esfriar

## Para servir

Sirva a granola fria, em tigelas individuais, com um pouco de leite ou uma porção de iogurte natural • Você pode guardar qualquer sobra em um pote hermeticamente fechado por cerca de 2 semanas, mas ela é tão deliciosa que eu me surpreenderia se durasse tanto tempo assim!

# FRUTAS COZIDAS

Quando for cozinhar frutas, o mais importante é lembrar de que você deve decidir quanto açúcar precisa acrescentar – dou aqui algumas quantidades para você se guiar, mas se a fruta estiver bem madura e doce, você precisará menos do que sugiro. Então, prove enquanto cozinha e adicione mais açúcar se achar necessário.

**para 4 pessoas**

750 g de ruibarbo (difícil de encontrar aqui – N. do T.), ameixas, morangos ou peras

se utilizar ruibarbo: um pedaço de 2,5 cm de raiz de gengibre fresco

açúcar branco refinado, a gosto

Pique todas as frutas, descartando as sementes • Coloque-as numa panela • Se utilizar ruibarbo, descasque o gengibre e rale-o finamente sobre a panela • Acrescente o açúcar – eu geralmente uso 3 colheres (chá) cheias ao ruibarbo e 2 colheres (chá) cheias de qualquer outra fruta, mas prove e coloque mais se achar necessário • Adicione 2 colheres (sopa) de água e cozinhe em fogo médio com a panela tampada • Assim que a fruta amolecer, retire a tampa e deixe o líquido evaporar – deverá estar com a consistência razoavelmente espessa • Sirva sobre cereais, iogurte, panquecas, granola, *musli* ou até com carne de porco assada!

# TRAVESSA DE FRUTAS FRESCAS

Uma travessa de frutas frescas é ótima no café da manhã, mas vai igualmente bem como sobremesa no almoço ou no jantar. Como tudo está pronto para ser comido, é uma forma fácil de incentivar as crianças (e os adultos relutantes) a comer frutas frescas. Se sobrar, guarde as sobras na geladeira para comer na manhã seguinte como uma salada de frutas ou batê-las e transformá-las em um *smoothie* (veja página 307).

## para 4 pessoas

*2 clementinas (fruta cítrica que é um híbrido entre a tangerina e a laranja doce, se não encontrar, use tangerina ou mexerica)*
*1 laranja*
*½ melão honeydew (é o melão mais comum no Brasil, com casca bem amarela)*
*um punhado de morangos*

*um punhadinho de uvas vermelhas*
*3 bananas maduras*
*1 pera madura*
*1 maçã*
*um punhado de mirtilo (blueberry)*
*500 g de iogurte natural*

Descasque as clementinas e corte-as ao meio transversalmente • Corte as laranjas em cunhas, mantendo a casca • Corte o melão ao meio e retire as sementes, depois raspe a polpa de uma das metades com uma colher • Remova os talos dos morangos e corte-os ao meio se estiverem grandes • Descasque as bananas e fatie-as ao comprido • Coloque todas as frutas preparadas em uma travessa grande • Retire a parte central das peras e das maçãs, corte-as em cunhas e adicione à travessa • Espalhe os mirtilos por cima • Leve à mesa com um pote de iogurte natural para que todos se sirvam

# Coisas doces

Este capítulo é, de longe, o que mais exige envolvimento e tempo. Como você terá de medir e pesar com precisão, é claro que também estará mais sujeito a desastres do que em qualquer outra área da culinária. Por isso, muita gente que não consegue cozinhar deve avançar aos poucos.

O que apresento neste capítulo é uma ampla lista de doces incrivelmente fáceis de fazer, para poder ajudá-lo. Se pensou em pudins, bolos e biscoitos, você os encontrará aqui. Desde seis maneiras de preparar simples sorvetes, num estalar de dedos, aos brilhantes bolinhos, com creme ou geleia, da velha escola. Incluí uma torta de chocolate e castanhas, muito fácil, mas que impressiona bem — quem gosta de barras de chocolate e castanhas vai adorar. Você precisa tentar também a *tarte tatin* de banana: parece coisa do outro mundo, mas não é nada difícil de fazer. E, para coroar este capítulo, um bolo de frutas e creme, para servir nos aniversários ou no Dia das Mães. O segredo é usar um bom *panettone* como base (você pode comprar por ocasião do Natal e conservar no *freezer* por até seis meses, aproximadamente). Então, a ênfase neste capítulo é para tudo que é fácil de fazer, mas delicioso, o que é muito bom principalmente para um iniciante que precisa melhorar um pouco sua autoconfiança.

# TORTA DE QUEIJO E BAUNILHA COM COBERTURA DE GROSELHA

Minha família adora esta sobremesa. Sempre vai bem com seu leve toque de limão e a fantástica textura crocante das migalhas de biscoitos. Trata-se de uma sólida receita de torta de queijo com baunilha que você pode fazer sem a adição de groselhas, mas, se estiverem na época e forem o máximo, espalhe o creme pelo topo da torta, e as pessoas irão urrar! A groselha pode ser substituída por outras frutas, como morangos, cerejas, mirtilos e amoras-pretas

## para 8 pessoas

150 g de manteiga, mais um pouco
  para untar a forma
200 g de biscoitos (a receita original pede digestive
  biscuit, um tipo de cookie semidoce muito
  popular entre os britânicos, que recebe esse
  nome por causa da presença do bicarbonato
  de sódio entre seus ingredientes – N. do T.)
100 g de flocos de aveia
1 vagem de baunilha ou 1 colher

(chá) de essência de baunilha
600 g de queijo cremoso
150 g de açúcar refinado
1 limão
1 laranja
300 ml de creme duplo (creme de leite
  com alto teor de gordura – N. do T.)

*Para a cobertura de groselha*
100 g de açúcar refinado
500 g de groselhas

## Para fazer a base

Unte uma forma de torta de 23 cm com um pouco da manteiga • Embrulhe os biscoitos em um guarda-napo limpo e, usando um rolo, esmague-os até obter migalhas finas • Ponha uma panela em fogo baixo, adicione os flocos de aveia e toste-os até que escureçam • Corte a manteiga em cubos e adicione-os à panela com os biscoitos esmigalhados • Mexa com uma colher de pau até combinar tudo • Tire a mistura do fogo e despeje-a na forma de torta, alisando-a com suavidade • Gentilmente, pressione para baixo a base de migalhas de biscoito com as costas da colher ou as mãos, para deixá-la plana e lisa • Reserve na geladeira por 1 hora

## Para fazer o recheio

Se usar a vagem de baunilha, corte-a ao meio ao comprido e, com cuidado, retire as sementes com uma faca • Ponha todo o queijo cremoso em uma tigela, junte as sementes ou a essência de baunilha, o açúcar, as raspas de limão e da laranja e o suco do limão • Misture bem até ficar liso. • Em outra tigela, bata bem o creme duplo até o ponto de *chantilly* • Incorpore metade dele à mistura de queijo cremoso • Depois faça o mesmo com a metade restante • Quando a mistura estiver homogênea, despeje-a sobre a base de biscoitos e alise com uma espátula • Deixe a torta na geladeira por pelo menos 1 hora

## Para servir

Passe uma espátula pela borda interna da forma para tirar a torta • Coloque-a sobre um prato de servir • Misture o açúcar e as groselhas em uma tigela, usando as mãos para esmagar as frutas • Despeje a mistura sobre o topo da torta e alise a cobertura com as costas de uma faca

# SORVETES

Seria ótimo que todos fizessem em casa coisas como bases para tortas e *pâtisserie*, mas a verdade é que a maioria das pessoas não se preocupa com isso a não ser para uma ocasião especial. Sorvetes, entretanto, estão sempre em alta, por isso decidi incluir algumas ideias saborosas dessa sobremesa.

**cada receita é para uma porção**

### Banana e doce de leite com sorvete de baunilha

Fatie uma **banana** e coloque-a no recipiente em que vai servir o sorvete • Ponha sobre ela uma colher (sopa) de **doce de leite ou de leite condensado caramelizado** e cubra com uma bola de **sorvete de baunilha** • Polvilhe com **farelo de biscoitos**

### Rum e uvas-passas com sorvete de baunilha

Aqueça numa panela pequena em fogo baixo um punhado de **uvas-passas** e um bom gole de **rum escuro** • Despeje no recipiente de servir e ponha por cima uma bola de **sorvete de baunilha** • Usando um descascador de vegetais ou uma faca afiada, cubra o sorvete com raspas de uma barra de um **bom chocolate escuro**

### Laranja fatiada e malte com sorvete de baunilha

Descasque **uma laranja**, corte-a em fatias redondas de 1 cm e coloque-as no fundo do recipiente de servir • Ponha uma panela pequena em fogo baixo e derreta nela uma bolota de **manteiga** • Adicione uma colher (sopa) de **aveia**, mexa de vez em quando até ficar crocante e tire do fogo • Polvilhe um prato com uma colher (sopa) de **malte em pó** e rapidamente role sobre ele uma bola de **sorvete de chocolate** • Ponha o sorvete em cima das fatias de laranja e cubra com a aveia crocante

### Morangos e gengibre com sorvete de baunilha

Esfarele alguns **biscoitos de gengibre** numa tigelinha de servir • Fatie 2 ou 3 **morangos** e coloque-os sobre os biscoitos esfarelados, seguidos de uma bola de **sorvete de baunilha** • Para finalizar, rale sobre o sorvete um pouco de **chocolate escuro** de boa qualidade

### Calda de framboesa fresca com sorvete de baunilha

Ponha um bom punhado de **framboesas frescas** em uma colher (sopa) de **açúcar refinado** numa tigela • Use as mãos para esmagar as framboesas e misturá-las bem com o açúcar • Ponha uma bola de **sorvete de baunilha** na tigelinha de servir e despeje sobre ela as framboesas esmagadas

### Abacaxi e pimenta vermelha com sorvete de chocolate

Corte fora o topo do **abacaxi fresco** • Depois corte uma fatia de 2 cm de espessura, descasque-a e corte-a em cubinhos • Corte ao meio uma **pimenta vermelha fresca**, elimine as sementes e pique metade dela • Ponha os cubos de abacaxi em uma tigela de servir, cubra-os com uma bola de **sorvete de chocolate** e espalhe por cima tantos pedacinhos de pimenta quantos tiver coragem!

## AJAY, RIA E MARLEY CARTER

Fazer sobremesas é uma coisa nova para nós, mas estamos gostando disso. São muito saborosas. Temos feito algumas mais incrementadas, como o *sundae*, usando sorvete de chocolate e *smarties* e *maltesers* (pequenos confeitos em forma de discos ou bolinhas – N. do T.) e também canudinhos recheados com chocolate.

# SCONES DE FRUTAS

Esta é uma receita para *scones* que usa cerejas ácidas e uvas-passas tradicionais, ou qualquer outra fruta seca que você quiser. *Scones* congelam muito bem. Então, pode-se fazer uma fornada deles e colocar no *freezer*. Assim, se tiver visitas inesperadas, basta colocá-los diretamente no forno para conseguir um delicioso regalo. Passe geleia nos *scones* e sirva com creme de leite denso – nada mais a fazer!

**para 10 scones**

*120 g de cerejas ácidas e uvas-passas misturadas*
*suco de laranja para embeber*
*450 g de farinha com fermento, mais*
*  um pouco para enfarinhar*
*2 colheres (chá) de fermento químico*
*120 g de manteiga*

*2 ovos grandes, de preferência caipiras ou orgânicos*
*5 colheres (sopa) de leite, mais*
*  um pouco para pincelar*
*sal*
*geleia de boa qualidade*
*150 ml de clotted cream (uma espécie*
*  de chantilly mais espesso – N. do T.)*

## Para fazer a massa

Preaqueça o forno a 200°C • Ponha as cerejas e as uvas-passas em uma tigelinha com a quantidade de suco de laranja suficiente apenas para cobri-las • Enquanto ficam de molho, bata a farinha, o fermento químico e a manteiga em um processador só até que a mistura comece a parecer com migalhas, não mais (você também pode fazer isso com as mãos) • Transfira a mistura para uma tigela e faça uma cavidade no centro dela • Em outra tigela, bata os ovos e o leite com um garfo • Escorra as cerejas e as uvas-passas em uma peneira e junte-as aos ovos batidos com leite com uma boa pitada de sal, depois ponha tudo dentro da cavidade feita na farinha misturada e borrife com mais leite, se necessário, até obter uma massa seca e macia

## Para fazer os scones

Enfarinhe uma superfície limpa e o rolo de massa • Estique a massa até ficar com 2 mm de espessura • Usando um cortador redondo de 7 cm, ou a boca de um copo, corte 10 círculos de massa e coloque-os em uma assadeira ou chapa antiaderente (você vai ter de esticar novamente a massa que sobrou para obter outros 10 círculos, mas tenha o cuidado de não amassar demais, senão ela passa do ponto) • Com um pincel de massa, pincele com leite a parte de cima de cada círculo de massa • Asse no forno preaquecido por 12 a 15 minutos, até que os *scones* cresçam e dourem • Tire do forno e coloque em um suporte de arame para esfriar

## Para servir

Corte cada *scone* ao meio, no sentido horizontal • Ponha uma boa porção de geleia em cada metade, seguida de uma colherada do *clotted cream* e cubra com a outra metade do *scone* • Sirva em uma travessa grande, no meio da mesa, ou em pratos individuais – e não se esqueça de um bule com chá!

# PUDINS RÁPIDOS COZIDOS NO MICRO-ONDAS

Normalmente se faz pudim grande, mas os individuais funcionam muito bem. Use qualquer tipo de forminha apropriada para micro-ondas. Eu uso xícaras de chá. A calda caramelizada poderá ser substituída por 1 colher (sopa) de geleia de framboesa, colocando-a no fundo de cada forma. Quando você virar os pudins nos pratinhos de servir, polvilhe-os com um pouco de coco ralado.

## para 6 pudins individuais
*manteiga, para untar*
*157 g de farinha peneirada*
*50 g de açúcar demerara*
*75 g de manteiga*
*1 colher (chá) rasa de bicarbonato de sódio*
*2 colheres (chá) de gengibre ralado*
*2 ovos grandes, de preferência caipiras ou orgânicos*
*suco e raspas finas da casca de uma laranja pequena*
*150 ml de leite*
*11 colheres (sopa) de calda caramelizada*
*crème fraîche ou custard para servir*

### Para preparar as forminhas
Unte bem o interior de 6 pequenas formas ou xícaras de chá com manteiga • Despeje todos os ingredientes (exceto a calda caramelizada e o creme) em uma tigela • Adicione 1 colher (sopa) de calda caramelizada e mexa com uma colher de madeira até que os ingredientes estejam bem combinados • Cubra o fundo de cada xícara ou forma com 1 colher (sopa) da calda e divida entre elas a mistura do pudim

### Para fazer o pudim
Corte 6 círculos de papel-manteiga um pouco maiores do que o diâmetro das xícaras ou forminhas • Unte-os com um pouco de manteiga e coloque-os, com a manteiga para baixo, no topo de cada xícara, pressionando-os levemente contra a mistura do pudim • Coloque todas as xícaras no forno de micro-ondas e cozinhe na posição média por 7½ minutos, se estiver usando um micro-ondas de 750W (importante: o tempo pode variar, se você decidir cozinhar mais ou menos pudins de uma vez, ou se o seu forno tiver mais ou menos watts) • Deixe o pudim no micro-ondas por mais 5 minutos antes de remover cuidadosamente o papel-manteiga

### Para servir
Aqueça 4 colheres (sopa) de calda caramelizada no micro-ondas em uma jarra apropriada • Vire os pudins nos pratos de sobremesa (simplesmente ponha-os de boca para baixo sobre a forma e vire o pudim nele) • Sirva imediatamente, borrifando com um pouco da calda caramelizada aquecida, e coma com *crème fraîche* ou com *custard*

# TARTE TATIN DE BANANA

Esta é uma ótima receita. O que eu mais gosto nela é a simplicidade. Você só precisa comprar um pouco de massa folhada, cortar ao meio algumas bananas e ter alguma coisa mágica acontecendo no forno! É preciso ter muito cuidado quando colocar as bananas no açúcar caramelizado, pois estará muito quente, podendo provocar sérias queimaduras. É melhor proteger a mão com um guardanapo e ficar bem concentrado no que está fazendo. Se você não gosta de banana, tente fazer com abacaxi.

**para 6 pessoas**
60 g de manteiga sem sal
150 g de açúcar refinado
4 bananas grandes
¼ de colher (chá) de canela moída
1 laranja

farinha de trigo para polvilhar
250 g de massa folhada
opcional: crème fraîche
opcional: sorvete de baunilha ou algumas
  colheres (sopa) de coco ralado

## Para fazer as bananas caramelizadas
Preaqueça o forno a 180°C • Corte a manteiga em cubos e coloque em uma assadeira funda de aproximadamente 19 cm x 30 cm • Ponha a assadeira em fogo baixo, deixe a manteiga derreter, então adicione o açúcar e continue a cozinhar por alguns minutos, mexendo de vez em quando, até obter um caramelo dourado • Enquanto isso, descasque as bananas, corte-as ao meio ao comprido e coloque-as sobre o açúcar caramelizado • Tire do fogo, polvilhe com a canela e rale por cima a casca de metade da laranja

## Para fazer a cobertura de massa
Polvilhe com farinha uma superfície de trabalho e o rolo de massa • Em vez de achatar e depois desenrolar, é melhor colocar a massa como mostra a foto da página ao lado e, então, abri-la • Assim, ela ficará mais leve e quebradiça • Estique-a até obter um retângulo mais ou menos do tamanho da assadeira e cerca de 0,5 cm de espessura • Dobre a massa sobre o rolo e, devagar, estenda-a sobre a assadeira, enfiando-a ao redor das bananas para que fiquem bem cobertas • Com uma faca ou um garfo, faça algumas marcas na massa • Ponha a assadeira na prateleira de cima do forno preaquecido e deixe por 25 a 30 minutos, ou até dourar

## Para servir
Quando a *tarte tatin* estiver pronta, será preciso virá-la uma vez • Para fazer isso, proteja sua mão com um guardanapo, pegue cuidadosamente a assadeira com uma travessa ou uma tábua de cozinha sobre ela e vire-a gentilmente • Com a ponta de uma faca, levante um canto da massa para ver se ela está mesmo assada por baixo (se não estiver, leve-a de volta ao forno e deixe por mais alguns minutos), depois tire-a por inteiro da assadeira • Se usar *crème fraîche*, coloque-o em uma tigela, rale sobre ela o restante da casca de laranja e mexa bem • Se usar sorvete de baunilha, polvilhe um prato com algumas colheres de coco ralado seco e role a bola de sorvete sobre ele • Sirva a *tarte tatin* com uma colherada de *crème fraîche* ou coberta com o sorvete. E coma logo!

# COOKIES

Esta é uma receita básica de massa de *cookie*, com um pouco de aveia para torná-la mais saudável. Gosto de fazê-la e adicionar ingredientes extras, dependendo do meu estado de ânimo. Se você prefere frutas secas ou nozes em vez de chocolate ou cítricos, use-as nas mesmas quantidades do chocolate.

## para cerca de 15 cookies

*Para a massa básica*

*125 g de manteiga*

*100 g de açúcar demerara não refinado*

*1 ovo grande, de preferência caipira ou orgânico*

*100 g de farinha de trigo*

*25 g de aveia*

*¼ de colher (chá) de fermento em pó*

*½ colher (chá) de sal*

*Para cookies de cítricos*

*1 laranja*

*1 limão*

*Para cookies de chocolate*

*50 g de chocolate branco*

*50 g de chocolate escuro*

### Para fazer a massa básica de cookie

Tire a manteiga da geladeira 15 minutos antes de começar, para que ela amoleça um pouco • Se você tiver um processador de alimentos, ponha nele a manteiga com os demais ingredientes básicos e bata até ficar homogêneo • Ou então ponha a manteiga e o açúcar numa tigela e bata com uma colher de madeira até obter um creme grosso e consistente • Quebre o ovo em outra tigela e bata com um garfo, depois junte-o à manteiga com açúcar e misture bem • Peneire a farinha em uma tigela, adicione a aveia, o fermento em pó e o sal, e misture até obter uma massa homogênea

### Para dar sabor à massa

Rale as cascas da laranja e do limão ou pique o chocolate • Misture bem as raspas das cascas das frutas ou o chocolate com a massa • Despeje-a em um pedaço de filme plástico e enrole no formato de uma linguiça com aproximadamente 7 cm de diâmetro • Deixe a massa no *freezer* por 30 minutos

### Para assar os cookies

Preaqueça o forno a 190°C • Tire a massa do *freezer*, corte-a em fatias de 1 cm de espessura e coloque-as em duas assadeiras antiaderentes, deixando um bom espaço entre as fatias, porque elas crescem enquanto assam • Se você não conseguir acomodar todas as fatias nas assadeiras, é melhor assá-las em porções sucessivas • Coloque as assadeiras na prateleira do meio do forno e asse por 8 a 10 minutos, até que as bordas dos *cookies* estejam douradas • Deixe-os esfriar um pouco antes de colocá-los em um suporte de arame para que esfriem completamente. São deliciosos com um copo de leite frio

# BOLO DE FUDGE DE CHOCOLATE

Será melhor usar o processador de alimentos para fazer este bolo. Assim você poderá simplesmente bater tudo de uma vez. Mas também pode fazer facilmente usando as mãos, se você comprar amêndoas moídas e ralar o chocolate na mistura.

**para 8 pessoas**

*200 g de chocolate escuro de boa
qualidade (70% de sólidos de cacau)*
*175 g de manteiga, mais um pouco para untar*
*120 g de açúcar mascavo*
*100 g de amêndoas descascadas*
*2 colheres (sopa) de cacau em pó*
*uma pitada de sal*
*4 ovos grandes, de preferência caipiras ou orgânicos*
*150 g de farinha com fermento*
*100 g de* fudge *de chocolate*
crème fraîche *ou sorvete de creme (baunilha)*

**Para fazer o bolo**
Preaqueça o forno a 160°C • Quebre o chocolate escuro, coloque-o no processador com a manteiga, o açúcar, as amêndoas, 1 colher (sopa) do cacau em pó e o sal e bata até obter uma pasta homogênea • Quebre os ovos, um de cada vez, no processador e adicione a farinha • Bata até homogeneizar

**Para assar**
Pegue uma assadeira funda, de mais ou menos 25 x 25 cm • Unte bem com a manteiga e polvilhe com o restante do cacau em pó • Chacoalhe um pouco para cobrir levemente toda a superfície da assadeira • Despeje nela a mistura, usando uma espátula para raspar o processador • Quebre o *fudge* em pedaços e salpique-os sobre a mistura do bolo, empurrando os maiores para dentro da massa • Leve a assadeira ao forno preaquecido e asse por 18 a 20 minutos • Desenforme o bolo e espete um garfo até o centro dele: se tiver um pouco da massa agarrado a ele quando puxá-lo para fora, está tudo bem – o bolo tem mesmo de estar um pouco úmido por dentro • Entretanto, se o bolo estiver com pouca consistência, leve-o de volta ao forno por mais 3 a 5 minutos para firmá-lo um pouco mais

**Para servir**
Deixe o bolo esfriar levemente e sirva-o ainda morno e umedecido • Vai muito bem com *crème fraîche* ou sorvete de creme (baunilha)

# PÃO-DE-LÓ ESPERTO COM MORANGOS E CREME

Se você tiver que fazer um bolo rapidamente, aqui está a receita. Não precisa assar nada. O panetone pode ser comprado nos supermercados. Se sobrar panetone, embrulhe em filme plástico e faça torradas na manhã seguinte. Totalmente deliciosas!

## para 10–12 pessoas

100 g de amêndoas em flocos

licor de flor de sabugueiro (ou outro licor
de flores de sua preferência)

xerez ou Vin Santo

600 ml de creme duplo (ou o creme de leite com
mais alto teor de gordura que encontrar)

2 colheres (sopa) de açúcar

1 vagem de baunilha ou 1 colher
(sopa) de essência de baunilha

2 caixinhas de morangos (ou de cerejas)

1 panetone médio ou grande

1 caixinha de framboesas

1 barra de 100 g de um bom chocolate escuro

### Para preparar o bolo

Ponha os flocos de amêndoas em fogo baixo numa pequena panela • Sacuda a panela e deixe-os tostar, com cuidado para que não queimem • Assim que começarem a escurecer, tire a panela do fogo e reserve-os para que esfriem • Despeje cerca de 4 colheres (sopa) de licor de flor de sabugueiro (ou outro licor de flores) em uma taça (vinho), adicione uma boa dose de xerez ou de Vin Santo e mexa • Despeje o creme em uma tigela e adicione o açúcar • Se estiver usando a vagem de baunilha, divida-a ao meio ao comprido e retire as sementes com uma faca • Adicione as sementes ou a essência de baunilha à tigela e bata até o creme engrossar e formar pontas. Fatie os morangos, removendo todos os talos

### Para fazer o bolo

Tire todo o papel que envolve o panetone e corte-o em 3 fatias redondas, cada uma com cerca de 2 cm de espessura • Ponha uma fatia em um prato de servir e despeje sobre ela um pouco da mistura de licor e xerez (não é preciso encharcar o panetone; use apenas o suficiente para dar sabor) • Ponha uma boa colherada de creme na fatia de panetone e alise-a dos lados, usando uma espátula ou similar • Acomode sobre ela metade das fatias de morangos e cubra com uma segunda fatia de panetone • Repita a operação com o licor, o creme e os morangos e cubra com a última fatia de panetone • Dê umas batidinhas sobre ela, despeje o restante do licor, cubra com o restante do creme, alisando o topo e as laterais do bolo até ficar completamente coberto – não se preocupe em deixar tudo perfeito, pois, ainda que pareça um pouco desarrumado, ficará delicioso! Pressione gentilmente os flocos de amêndoas tostados contra a superfície lateral do bolo até que fique coberta por eles

### Para servir

Acomode as framboesas em cima do bolo e salpique com algumas raspas de chocolate (use um descascador de vegetais ou uma faca para raspar a barra de chocolate)

# MAÇÃS ASSADAS

Esta é uma sobremesa clássica, simples e uma ótima ideia para consumir maçãs cozidas. É barata e muito apreciada por crianças e adultos.

**para 4 pessoas**

*50 g de manteiga sem sal*

*4 maçãs grandes*

*2 folhas de louro secas ou frescas*

*2 cravos-da-índia*

*50 g de flocos de amêndoas*

*100 g de açúcar mascavo light*

*75 g de uvas-passas*

*1 laranja*

*1 limão*

*1 colher bem cheia de especiarias mistas (uma mistura de várias especiarias, entre elas canela, noz-moscada e pimenta-da-jamaica, em pó)*

*1 dose de conhaque ou de whisky*

### Para preparar as maçãs

Tire a manteiga da geladeira 15 a 30 minutos antes de começar a fazer as maçãs assadas • Preaqueça o forno a 180°C • Remova os miolos das maçãs, depois, cuidadosamente, com uma faca, faça cortes suaves no meio de cada uma • Coloque as maçãs em uma assadeira • Se estiver usando o louro seco, esmigalhe-o em pequenos pedaços; se forem folhas frescas, pique-as finamente • Coloque o louro no pilão, junto com o cravo-da-índia, e soque, depois coloque em uma tigela grande junto com as amêndoas e o restante dos ingredientes • Com as mãos, misture bem, impregnando a manteiga com todos os sabores • Ponha a mistura dentro dos buracos de cada maçã (de onde você removeu os miolos) e esfregue o restante da mistura na superfície das frutas • Mexa na tigela as amêndoas remanescentes para que fiquem levemente cobertas pelos sucos que restaram, e espalhe-as sobre o topo das maçãs

### Para assar

Coloque a assadeira no forno preaquecido por 35 a 40 minutos, até que as maçãs fiquem macias e douradas • Tire do forno e deixe esfriar por uns 5 minutos antes de servir • Ponha cada maçã em uma pequena tigela e despeje por cima os sucos caramelizados da assadeira • As maçãs ficam ótimas com uma bola de um bom sorvete de creme (baunilha), *creme fraîche* ou *custard*

# TORTA DE CHOCOLATE, UVA-PASSA E AVELÃ

Trata-se de uma ótima torta, porque você pode adicionar muitos ingredientes diferentes, como aveia ou coco ralado desidratado ou qualquer outro tipo de castanha. Se você quiser agradar as crianças, esta torta é perfeita para elas. Para quem aceita um novo desafio, que tal fazer a própria massa (veja na página 346) em vez de comprá-la pronta?

**para 6 pessoas**

*farinha de trigo para enfarinhar*
*375 g de massa podre doce*
*200 g de chocolate de boa qualidade*
  *(mínimo de 75% de sólidos de cacau)*
*285 ml de creme de leite*

*2 colheres (sopa) bem cheias de açúcar refinado*
*30 g de manteiga*
*sal marinho*
*50 g de avelãs*
*50 g de uvas-passass*

### Para fazer a base de massa

Preaqueça o forno a 180°C • Enfarinhe uma superfície lisa e o rolo de massa • Abra a massa em um retângulo com pouco menos de 1 cm de espessura, polvilhando-o com farinha enquanto abre • Dobre a massa sobre o rolo e acomode-a, devagar, em uma assadeira retangular • Aperte as extremidades com o polegar e o indicador para formar uma espécie de borda • Com um garfo, marque o fundo da base de massa • Coloque-a no *freezer* até endurecer, depois leve-a ao forno e asse por 15 minutos

### Para fazer o recheio

Despedace o chocolate • Ponha o creme de leite e o açúcar em uma panela e ferva em fogo baixo por cerca de 5 minutos • Tire a panela do fogo e adicione ao creme o chocolate, a manteiga e uma pitada de sal • Mexa devagar até o chocolate e a manteiga derreterem • Toste as avelãs em uma panela quente e seca por alguns minutos, até dourarem • Espalhe as avelãs e as uvas-passas sobre o fundo da base da massa • Despeje o chocolate derretido e alise uniformemente os quatro lados • Deixe esfriar antes de levar ao *freezer* por 20 minutos, depois corte em quadrados e deixe rolar!

# MASSA PODRE DOCE

Mesmo que você nunca tenha feito massa podre antes, se seguir corretamente as medidas dos ingredientes e o modo de fazer, vai se divertir. Procure ser confiante e junte a massa o mais rápido que puder – não a amasse muito, ou o calor de suas mãos derreterá a manteiga. Uma boa dica é colocar as mãos em água fria corrente antes de começar, para que elas esfriem o máximo possível.

Para fazer a massa podre salgada, basta eliminar o açúcar e colocar 50 g de queijo cheddar na mistura de farinha e manteiga, junto com uma generosa pitada de sal. Substitua as raspas de casca de limão por um punhado de tomilho ou folhas de alecrim picadas, para acrescentar sabor.

Estas quantidades farão mais massa do que você precisará para a receita, mas é fácil congelar a sobra, bem embrulhada em filme plástico, para usar numa próxima vez.

**para fazer 1 kg de massa**
*250 g de manteiga de boa qualidade*
*2 ovos grandes, de preferência caipiras ou orgânicos*
*um pouco de leite*

*500 g de farinha de trigo, mais um*
 *pouco para enfarinhar*
*100 g de açúcar de confeiteiro*
*opcional: 1 limão*

Corte a manteiga fria (ou esfriada, se necessário) em pequenos cubos • Quebre os ovos em uma tigela com um pouco de leite e bata com um garfo • Peneire a farinha sobre uma superfície de trabalho limpa • Peneire o açúcar de confeiteiro sobre a farinha • Com as mãos, trabalhe gentilmente a manteiga misturada com a farinha e o açúcar, esfregando o polegar contra os outros dedos até obter uma bela mistura esfarelada • Rale a casca do limão sobre a mistura (ou adicione outro aromatizante) • Adicione pouco a pouco os ovos com leite e trabalhe tudo junto até obter uma bola de massa • Polvilhe a bola com um pouco de farinha, depois enfarinhe mais um pouco a bola e a superfície de trabalho • Trabalhe a massa, mas não muito neste estágio, ou ela ficará elástica e borrachenta • Pressione a bola até obter um círculo achatado • Polvilhe com um pouco mais de farinha, depois embrulhe-a em filme plástico e deixe descansar na geladeira por cerca de 30 minutos

# Agradecimentos

Um agradecimento geral a todas as maravilhosas pessoas que me ajudaram não apenas com o livro, mas também com o projeto Ministério da Comida (*Ministry of Food*) em Rotherham. Certamente vou esquecer alguns nomes pelo caminho; se isso acontecer, por favor, aceitem minhas sinceras desculpas. Há tanta gente envolvida que lembrar de cada um é quase um pesadelo, mas eu fiz o melhor que pude.

Primeiro e antes de mais nada, à "Classe A" e a todos os colaboradores em Rotherham: caras, vocês têm sido brilhantes e corajosos por se lançarem nesse projeto. Obrigado por me deixar entrar em seus lares, por comparecer toda semana às aulas e por me deixar incluí-los (e a seus familiares) no belo capítulo dos retratos: Julie Critchow, Claire Hallam, Debbie Dennis, Natasha Whiteman, Geoff Blackburn, Tracey Fearn, Andy Pickersgill, Robert Tindle, Beccy Hill, Dan Carter, Simon Atkinson, Mick Trueman, Matthew Borrington, William Shepard e Malcolm Doane. Vocês fizeram o **passe adiante** ser realmente um estímulo e uma inspiração para mim.

Um grande obrigado a John Lambert, *head teacher* na Rawmarsh Community School, e a todo o *staff* da escola. Vocês permitiram que eu me instalasse em suas casas para dar minhas aulas, tão animados por me acomodar e me ajudar a começar o **passe adiante**.

A Roger Stone e aos demais da turma da municipalidade de Rotherham: Steve Pearson, Paul Woodcock, Julie Roberts, Bernadette Rushton, Pete Tomlin e Sturt Carr. Obrigado pela ajuda e o entusiasmo. Tendo trabalhado com algumas municipalidades antes, posso honestamente dizer que vocês são fantásticos, gente que está sempre um passo à frente e com quem tive o prazer de trabalhar.

Nick Crofts-Smith e Alison Norcliffe, do Rotherham College of Arts and Technology, foram brilhantes. Todo o suporte que vocês me deram, e à minha equipe, foi fundamental para os projetos alucinantes que desenvolvemos em Rotherham. Coisa linda!

Muito obrigado à maravilhosa ajuda de Fiona Gately, que fez um trabalho brilhante ao tocar adiante este projeto. E agradecimentos especiais às adoráveis Lisa Taylor e Jane Pond, que estão conduzindo o Ministério da Comida em Rotherham. Preciso lembrar com amor e respeito a ajuda generosa da companhia de cozinhas Atrium, que nos agraciou com uma cozinha nova para o Ministério, essencialmente para maior benefício da comunidade. Obrigado também à RBT (Connect Ltd.) pela doação de um computador e uma impressora, e à AMV and Sainsbury's, pela ajuda com suas estatísticas.

Grito meus agradecimentos ao Rotherham United FC e, mais importante, ao povo de Rotherham. Vivi inspiradores sete meses nessa cidade, encontrei pessoas brilhantes e dei muitas risadas. Vocês formam uma grande comunidade – muito obrigado por me fazerem sentir bem-vindo.

Grande amor a minhas equipes de cozinha e editorial. Muito obrigado pelo trabalho árduo de fazer este livro ficar incrível. Vocês me deram grande apoio e têm todo meu amor.

Do lado da comida: o brilhante e inspirador Peter Begg, a absolutamente maravilhosa Ginny Rolfe, as queridas senhoras Anna Jones, Georgie Socratous, Abigail Fawcett e Christina "Scarabouchi" McCloskey. Respeito e amor às brilhantes Claire Postans, Bobby Sebire e Helen Martin, que mantiveram tudo funcionando como uma máquina bem azeitada. Hurras para Kate McCoullough e Jackson Berg por seu trabalho duro e seu apoio. E, é claro, ao constantemente inspirador Gennaro Contaldo por seu amor e paixão. Às minhas garotas das palavras: a adorável Katie Bosher e a novata Rebecca Walker; e às antigas companheiras Sophia "Know-it-all" Brown e Suzanna de Jong, obrigado por todo seu intenso trabalho.

Como sempre, um grande muito obrigado a Lord David Loftus e Chris Terry, por suas fotos incríveis, trabalho duro e lealdade.

Agradeço também à equipe de produção da TV. Embora não participem da feitura deste livro, foi uma grande inspiração filmar o projeto e a campanha em Rotherham. Foi um terrível pesadelo no entanto juntar toda essa produção, mas as pessoas mencionadas a seguir são as peças fundamentais para a série de TV acontecer. Como sempre, obrigado às minhas sombras inseparáveis da Fresh One Productions, Zoë Collins e Jo Ralling. A Dan Reed, produtor executivo, agradeço muito por ter acreditado no projeto; à adorável Eve Kay, por conduzir tão bem a produção da série; Lana Salah, Emily Jones, Emma Palmer-Watts, Emily Taylor, Sarah Rubin e Helen Crampton e demais membros da equipe. Muito obrigado a todos.

À minha brilhante equipe pessoal, que me aguentou e manteve minha louca vida em ordem: às adoráveis Louise Holland, Liz McMullan, Holly Adams, Beth Richardson e a Paul Rutherford. Não sei como vocês permitiram que eu ficasse tanto tempo em Rotherham fazendo o projeto decolar quando eu tinha tantas outras coisas em andamento. Amo vocês, caras!

Tenho gente imensamente talentosa e inteligente trabalhando para mim. Então, para cada um de vocês, imenso amor e muitos agradecimentos por todo o trabalho árduo, dia após dia.

A toda a gente da Penguin Posse: Tom Weldon, minha maravilhosa editora Lindsey Evans, meu chapa John Hamilton, Keith Taylor, Juliette Butler, Chantal Noel, Kate Brotherhood, Rob Williams, Elizabeth Smith, Tora Orde-Powlett, Naomi Fidler, Clare Pollock, Anna Rafferty e os demais membros da equipe. Vocês foram fantásticos, como sempre, e deram o sangue pelo trabalho mais uma vez. Este tipo de livro é uma dureza, daí meu amor por todo o incrível e duro trabalho e o suporte. Maciços agradecimentos às adoráveis Annie Lee e e Chris Callard pelo trabalho com mais um dos meus livros.

Uma grande obrigado aos meus brilhantes fornecedores, e um agradecimento especial a David Mellor por nos emprestar alguns dos belos pratos e equipamentos de cozinha mostrados neste livro.

E por último porém absolutamente, definitivamente, não menos importante, obrigado à minha bela mulher, Jools, por tolerar meu sumiço toda semana para Rotherham e cuidar da família como brilhantemente faz todos os dias – te amo muito!

# Índice

Número de página em negrito indica que há foto

v indica receita vegetariana

## a